JN005288

はじめに

私たちは今、「危機のフルコース」とでも言うべき人類共通の未曽有の危機に直面しています。「地球沸騰化時代」を痛感する気候変動、21世紀になっても起こる軍事衝突と核戦争の危機、未来に悲観し世界の終焉を願う若者の増加、広がる格差にグローバル経済の崩壊など、どれひとつとっても解決策がみえず、八方塞がりの状態です。

しかしこれらをはるかに超える危機は、ＡＩ（人工知能）の進化による「人類の尊厳の危機」だと言えるでしょう。

ＡＩはすでに平均的な人間の能力を超えていますが、まだ生まれたての赤ちゃんのようなものです。10年もすれば今より１００万倍、20年後には１兆倍に進化すると予測され、近い未来、人間とは比較すらできない領域に達します。

アリと自分を比べながら生きる人はいないように、ＡＩにとって人間は「比較に値しない存在」と化してしまいます。この危機は、聖人と呼ばれる釈迦やイエス・キリストも、天才物理学者のニュートンやアインシュタインも、哲学者ニーチェやカントも、プラトンでさえも経験したことがありません。

なぜ、人類はこのような危機を迎えてしまったのか？

ＡＩはなぜ、人間を凌駕するほどの進化を起こすに至ったのか？

人類が培ってきた智慧とは何だったのか？

これらの問いを紐解かない限り、人類は集団自滅コースを免れることはできないでしょう。


この危機を乗り越える鍵は、「ディープラーニング」です。

ＡＩの進化は「機械へのディープラーニング」によって起こりました。

人間も「人間へのディープラーニング」ができる教育の大変革が必要です。


これまで人間は脳機能に依存してきました。

脳は無数の「始まりと終わり」を生み、整理不可能なほど複雑多様な世界をつくり出します。

そしてこの「始まりと終わりがある因果の世界」はＡＩが最も得意としています。


実は「始まりと終わり」は脳が生み出した勝手な思い込みで、真実は「始まり」も「終わり」もありません。脳の中という虚構にはまり込むことこそが、思った通りにいかない原因であり、争いの根源、愛ができない原因でもあります。

複雑多様で無限にある「始まりと終わり」を、究極のシンプルな境地まで解くこと。

そのとき、脳が一切関与しない永遠不変の純度１００％の心になり、始まりも終わりもない「今ここ」の刹那だけになります。

この認識ができたとき、「何も経験していないかのような無経験の経験」に変化します。これはＡＩが絶対に入り込めない領域です。

この認識になれば、全ての争いが愛に変わり、
愛せなかった人が、愛おしくてたまらなくなり、
どうしても許せなかった人生という物語が、愛おしい物語に変わります。
そんな嘘のような奇跡が日常となるのです。

日本語には方を付ける（決着をつける）、片づける（掃除、一掃する）という言葉があります。

始まりと終わりがある脳の世界に、始まりも終わりもない「純度１００％の心」という「方」を付け、片づける。これがＡＩ時代を生きる人間へのディープラーニングのファーストステップです。

ＡＩのビッグデータを凌ぐ、最も深さのある「人間へのディープラーニング」ができる教育は、
28年間の研究と実践によって日本ですでに完成しています。
この教育の完成は、日本の仲間たち抜きには考えられず、日本には心から感謝しています。

ＡＩは「人間にしかできないことをする時だ」と私たちにメッセージを投げかけています。
これまでのようなＷＥＬＬ ＢＥＩＮＧの生き方は通用しません。

ＡＩ時代は「人間が持つ最高の機能＝尊厳機能」を発揮して「人間がやっと始まる」出発点。
尊厳人間として尊厳関係の心時代を開くことができるタイミングの到来です。
「ＢＥＳＴ ＢＥＩＮＧ」で生きる人間賛歌の時代。
これまでの生き方に決着をつけ、人類を総結集する尊厳祭りを始めましょう。

ノ・ジェス

目次

1章「今のままでいい」は通用しない

2章 AI時代のベストビーイングの生き方

3章 日本文明の宿命とアモール・ファティ

4章

全体主義・個人主義を超えていく オープン共同体時代

BEST
BEING

1章

「今のままでいい」は通用しない

考えを放棄する現代人

あおい　姪のココロは何に対してもやる気が出ないそうなんです。彼女だけでなく最近の子どもには夢がない、やる気がないと言われますが、どうしたらいいのでしょう。

ココロ　やる気がないというより、やる気が湧いてこないんです。もともと何も考えてなかったわけではありませんが、就職活動をはじめて、将来のことを現実的に考えるようになったら、漠然とした不安が襲ってきて。これからＣｈａｔＧＰＴ《チャットジーピーティー》のような生成ＡＩもあっという間に進化してくると思うし、私のようにこれといった才能がない人間は何をしたらいいのか。

実際に自分がどうしたいのか、考えるほどわからなくなっていく感覚があって、もう何も考えたくなくなります。

ノジェス　確かに、ＡＩ時代に突入して日々目まぐるしく変化する社会なので、日本の若者だけでなく、世界中が先行きの見えない迷走状態ですから、考えたくなくなるのは無理もないことです。

私は、若者は未来の希望そのものだし、日本が世界の真のリーダーになるべきだと思っています。だからこうして日本の若者とお話しできることを、とても嬉しく思っています。今日は、どんなことを一緒に話したいですか。

ココロ　ありがとうございます。「なぜやる気や夢が持てないのか」「どうしたらやる気や夢が持てるようになって行動したくなるのか」を中心にお話ししたいです。

ノジェス　いいですね。ではココロさんの人生を豊かなものにするために、その話と併せて「日本が描くべき夢、ビジョンとは」「日本が世界のリーダーとなるべき理由」も加えてお話ししていきましょう。

ココロ　日本の夢やビジョンの話にまで広がるのですか。よろしくお願いします。

ノジェス　今までに聞いたことのないような話も飛び出しますよ。では、ココロさんの現状をもう少し詳しく聞かせてください。

ココロ　そもそもどんな職業に就いても、今の世の中は何が起こるかわからないし、絶対に欲しいという物もやりたいことも特にありません。だから、お金を稼ぐことにもあまり関心が持てなくて、積極的に行動できずにいます。出ない答えを探しても疲れるだけなので「もう、とりあえず今のままでいい」という結論に行き着いて、表面的でもいいから自分なりに居心地の良い環境を探して、趣味のＫ-ＰＯＰやアニメなどに時間を費やしてしまうんです。人生は、何か違和感があっても受け入れるしかない、訳のわからないものなのかなと思っています。

あおい　若い人たちがどんな仕事をしたらいいのかを悩むのは当然ですよね。ＣＮＮによると、２０２３年上半期に情報技術企業から解雇された人の数は21万２２９４人で、この6カ月で前年の全体解雇人数（16万４７０９人）をすでに上回ったといいます。ＡＩの導入によって、肉体労働者より事務職や女性労働者がさらに打撃を受ける恐れがあるとも言っていました。そんな中で若者たちは何を目指せばいいのでしょうか。

ノジェス　これまで若者たちは、高い授業料を支払って最先端技術や知識を身につけ、それを武器に社会に挑むことでポジションを得てきました。ですが高度な人工知能まで登場して、これからさらに知識や技術の新陳代謝が早くなるので、今までのやり方では通用しません。なのに多くの人は、まだ今までの延長線上で考えてしまっています。

ココロ　母からも「将来のことをしっかり考えていない」と思われています。ちゃんと社会人になれるのかと心配されているのがわかるから、それが余計にストレスです。大人を責めるつもりはないのですが、生まれた時から「失われた三十年」と言われ続けた日本で育ったからか、今の日本にもこれからの日本にも希望を感じられません。

頑張ってお金を稼いでいる人でも、それほど幸せそうに見えないし。憧れる生き方も憧れる人もいないから、人生のやりがいや目標も持てなくて、何かやろうと思っても虚無感があって動けません。いっそＡＩに任せて無理せず楽に生きられるなら、それで本望かもと思ってしまいます。

ノジェス　そもそも科学技術には寿命がありますし、特に最近のＩＴ技術の短命化は著しい。ですから、知識や技術を追うことや、時間をかけて何かを目指したり取り組んだりすることを諦めたくなる気持ちはわかります。絶えず状況が変わってしまうのがわかるから、選択が難しいですよね。

ココロ　はい。今は勉強もバイトもしてはいますが、そこに熱意があるわけではありません。小中学生のときは不登校の友だちも結構いたし、高校でも「通学は時間の効率が悪い」とか「一緒にいても気を遣うような人と関わるのは時間の無駄」という理由で、通信制の学校へ行く子も多かったです。だからなるべく無理なく、無駄なく、省エネで、少し楽しいと思うことをして「ただ生きればいい」という感じですが、それでも生きてるだけで疲れてしまいます。

あおい　小中学校の不登校者数は9年連続で増えていて、過去最多を更新していると聞きます。うちの子は今5歳でもうすぐ小学生だから、ココロの話は切実です。
生まれた時からスマホやＳｉｒｉ（ＡＩアシスタント）に触れている生粋のデジタルネイティブで、私なんかよりずっと上手に使いこなします。そんな子が学校に上がって「先生の授業はつまらない、学校は窮屈で面倒、非効率だから行きたくない」と言ったとしても、その気持ちが理解できるので、複雑な心境です。今の社会の延長線上で子どもたちが大人になることを考えると、親として何をするのがベストなのかと考えてしまいます。

ノジェス　予測不可能な時代なので、何かと不安がよぎりますよね。なかでも人間が初めて出会う「自分たちより賢い存在」が、まさに今急速に進化しているＡＩです。これからさらに私たちの生き方に密接に関わってくるので、状況を理解する必要があります。

ＡＩ研究の世界的権威として知られるジェフリー・ヒントン博士は、約10年間務めたグーグル（Google）を今年の5月に退社して話題になりましたが、その理由は「ＡＩの脅威への警告」のためでした。彼はＡＩの脅威は気候変動より大きく、核戦争並みになりうるとし、「人類の終わりを意味する可能性がある」と発言しています。今でも多くのフェイク画像や動画、偽音声などが出回っていますが、これについても「人間は真偽を見抜けなくなるだろう」といい、さらに「ＡＩについて何をすべきかが全く明確でない」とも語っています。

ココロ　自分のこともＡＩについても、この先どうなるのか本当にわからないです。よく「最近の若者は夢や希望、目標がなく、やる気を感じられない」とか、「リスクを恐れてチャレンジ精神がない、言われたことしかやらない」とかいろいろ言われますが、むしろ変に上昇欲求や向上心があったりする方が、お金も時間的にも何かと無駄が多いように感じてしまいます。

コストパフォーマンス（費用対効果）やタイムパフォーマンス（時間対効果）を重視した安定志向

で現状維持をする生き方が、この時代には賢いようにも感じます。

あおい　自分の進む道がわからない、考えても答えが出ないから、「考えたくない」となってしまうのはわかるけど、ＡＩが進化するにつれてそうも言っていられなくなると思う。社会の変化はこれまで以上に速くなっていくから、いくら考えないようにしたところで未来への不安は襲ってくるだろうし、現状維持は難しくなりそう。

ココロ　確かに…。でも最近、生成ＡＩで遊びながら文章やイラストを作ったことがあって、とても便利で楽しかったからＡＩで効率が上がるのはいいと思う。ＡＩのどういうところに懸念があるのかな。

あおい　ＡＩの開発がもっと進めば便利になるのは確か。ただ、これまで人間がやっていたことをＡＩが素早く高度にやってのけるから「人間の存在意義とは何か」という問題が浮き彫りになって、これを考えないわけにはいかないよね。

ココロ　存在意義か、そう言われると「人間は何をする存在なのか」と、また疑問が出てきてしまう…。

あおい　このままだと生きることに意味を感じられずに細々と生命維持をするのが精いっぱいかも。人に接する機会も減り、対人恐怖症や社交不安症も増えて、何か手を打たなければ社会は衰退しそう。「考えない、行動しない」は危険だと思う。

ココロ　現状維持のつもりが、ふたを開けたら衰退していたということになりそうだから、やっぱり何かしら行動しないといけないのかな。でもそれだと、私の最初の疑問に戻ってしまって堂々巡りで、何をしたらいいのか…。

ノジェス　そうですね。考えても答えが出ないのは、**「何をどのように考えればいいのか」がわからない**からです。その状態では、いくら考えても疲れてしまい、行動も起こせなくなってしまいます。

ここからは、そうなってしまう原因を探っていきましょう。

人生が思い通りにならない本当の原因

ノジェス　子どもまで「疲れる」と口にするほどの社会ですから、これは個人の問題とは言えず、深刻です。でも、**１００％疲れがスッキリ解消して脱疲労、脱ストレスのスキル**があるとしたらどうでしょう。

ココロ　疲れが１００％スッキリ解消なんて、もしそんなスキルがあるのだったらみんな知りたいと思います。

ノジェス ココロさんはどうして疲れると思いますか。

ココロ 慢性的に疲れているから「どうして」と聞かれると答えに困ってしまいますが、やっぱり人に会う時や考え事がある時は特に疲れます。早めに寝るようにしたり、自律神経を整えるために半身浴して体を温めたり、ストレス解消のために適度な運動をしたり、好きなアーティストの動画を観たりと、あれこれ試していますが、どれも１００％解消なんてできないです。

ノジェス ココロさんが疲れるのは、実は当然のことです。労働には主に肉体労働、頭脳労働、感情労働の３つがあります。脳は終わりなく働くので常に頭脳労働をしていますし、感情労働も厄介です。感情労働は、実際に感じている感情や自分が感じたい感情とは関係なく、その場や相手から求められる感情を表現しなくてはならないものなので「演技スキル」とも言えます。

ココロ 感情も労働だなんて初めて聞きました。人に合わせて我慢して笑顔をつくったり、相手の機嫌を損ねないよう振舞うことは誰しもあると思いますが、それは「感情労働」だから疲れてしまっていたということでしょうか。

ノジェス はい、そもそも相手に合わせて自分の気持ちをごまかしているので、疲れるのは当然だと思いませんか。この疲れは睡眠や運動などでは解消されません。**肉体が疲れているのではなく、**

脳が疲れているからです。

あおい　身体ではなく脳が疲れているというのは知っています。最近は「情報過多シンドローム」も特に深刻なようで、情報量が脳のキャパシティをはるかに超えて、情報処理が追いつかずに脳がオーバーフローを起こすのだとか。それで記憶力や判断力、理解力などが低下して、軽度の認知症のような症状に悩む人が増えているといいます。

ココロ　疲労やストレスが続くと、20代でも脳の老化が始まると聞いたので、私も脳を休ませるために音楽やアロマを試したり、デジタルデトックスも意識したりしています。

ノジェス　試してみて脳の疲れは解消されましたか。

ココロ　一時的に軽くなった気はしますが。そもそも、脳が休まるってどういう状態なのかがよくわからないです。強いて言うなら寝ているときくらいしかイメージできませんが、睡眠でも解消できないとおっしゃいましたよね。

ノジェス　そうですね。実は「あること」を知ってしまえば、一発で脳を休ませることができます。でもそれを知らないと、一生、いえ、死んだとしても疲れは付きまといます。なぜなら、寝ている時はもちろん、肉体が死んだとしても、脳は完全には休まらないからです。

ココロ　肉体が死ねば脳も死んでしまうと思うのですが、死んでも脳が休まらないって、どういうことでしょうか。

ノジェス　不思議に思いますよね。ではお訊きしますが、ココロさんは今、脳と心のどちらを使っているのかわかりますか。

ココロ　脳と心のどっちを使っているのか？そんなことわかるのですか。考えたこともないし、意識して使おうとしたこともないのでわからないです。

ノジェス　では別の質問をしますね。ココロさんは脳をどのように定義していますか。また「**脳の機能とは何か、心の機能とは何か**」と訊かれたら何と答えますか。

ココロ　脳は頭蓋骨の中の脳みそのことですよね？脳と心の機能については勉強していないのでわかりませんが、ただ何となく「脳は考えるもので、心は感じるもの」という気はします。

あおい　以前、私も同じ質問をされたとき、脳と心は絶えず使っているものなのに、どっちをどのように使っているのかわからなくて答えに困りました。脳のことも心のことも、何となく知ったつもりになっていただけで、実際は何も知らなかったと気づかされました。

ノジェス　私たち人類は、これまで理解が不鮮明な状態で脳や心を使ってきたということです。脳が何か、脳機能が何なのかもわからずに、脳や心を使いこなしたり、脳を休ませたりすることは本来不可能です。

例えば、採掘しただけの原油は黒くドロドロの液体で、ほとんど使い道がありません。でもこの原油を蒸留、精製すると、ガソリン、灯油、軽油、重油などの石油製品となり、日常で幅広く使えるものになります。

脳機能と心機能がわからないということは、原油のまま使おうとしているようなもので、脳と心を混同したドロドロ状態だから、脳と心を活かすことも休ませることもできないのです。

ココロ　そうか、脳と心をきちんと分けられたら、それを自由に使ったり休ませたりすることもできるのですね。

ノジェス　はい。車に例えると、心はアクセルで、脳はブレーキに該当します。脳と心を混同した状態で使おうとするのは、アクセルとブレーキを同時に踏み込んでいるようなものです。

ココロ　アクセルとブレーキを同時に踏んでいるとしたら、それは相当危険なことをしていますね。エンジンが壊れそう。

あおい　そういえば、脳について調べていたときに、「脳」と「悩」の漢字が似ていたので意味を調べてみました。両方の字の右側の「つくり」の

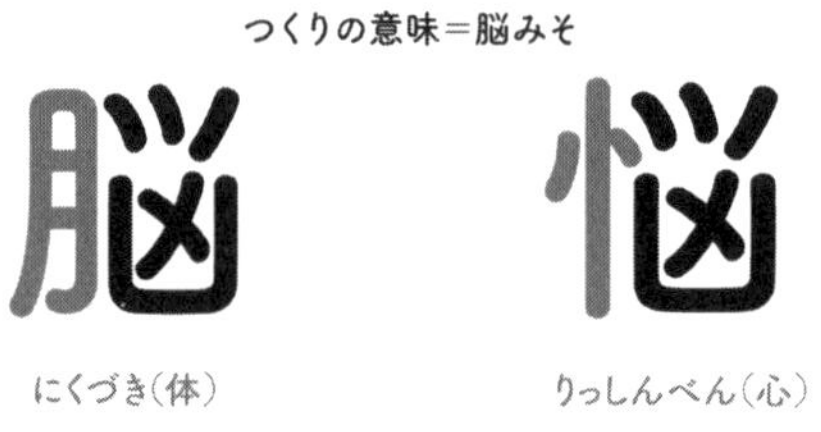

意味は「脳みそ」で、「脳を含む頭部から毛が生えている形」を表しているそうです。左の部首に、肉体に関する「月（にくづき）」を組み合わせると「脳」、心に関する「りっしんべん」を組み合わせたものが「悩」になっているということです。

ノジェス　まるで心と脳が分けられない状態を「悩」と表しているようで、日本語はおもしろいですね。人間が普段「脳」だと思っているものは、実は脳のほんの一部です。

人間は脳と心を混ぜて使っていますが、使う割合をあえて数値化してみれば、心はおよそ0.7％、脳はおよそ99・3％です。

ココロ　ということは、心は使っていないのも同然で、基本的に脳しか使っていない状態ということですか？

ノジェス　はい。自分の意図とは関係なく、知らぬ間に脳機能であるブレーキを踏みっぱなしにしています。だから人生が思った通りにならないのです。でも原油を蒸留、精製したように、**脳と心もきちんと分離、分解、蒸留したうえで脳と心の関係をマスターすれば、脳を100％休ませることができます**。すると自動的に、心のアクセル全開の歓喜エンジンが搭載されます。

これで悩み知らず、疲れ知らず、脳のブレーキは「ここぞ」というときに踏むだけでOKになり、新しい歓喜エンジンを使うことができるようになりますよ。

ココロ　よく疲れた時に「エンジンがかからない」と表現しますが、その歓喜エンジンというのを搭載できるならすごいです。あとブレーキの使い方も知りたいですが、それってどうすればいいのでしょうか。

ノジェス　認識を変化させるだけなのでシンプルなことです。シンプルすぎて誰も今まで気づくことができませんでした。人間はこれまで脳に頼りきって生きてきましたが、脳と心の機能をマスターすれば分けて使うことができます。すると人生が思った通りにいかない原因や何をどのように考えればいいのかわからない原因もわかり、労力の無駄遣いもなくなります。

ココロ　脳と心を分けることができたら、かなり効率よく生きられそうです。でも「私にできるのか」と思ってしまいます。

ノジェス　安心してください。初めは難しく聞こえるかもしれませんが、わかってしまえば驚くほど簡単です。脳と心、脳機能と心機能については後ほど整理しましょう。整理が起きた時「なぜ死んでも脳が休まらないのか」が納得できますよ。

ただ生きるのは死んでいることと同じ

ノジェス　ところでココロさんはアニメや漫画をよく観るそうですが、日本の作品は中国や韓国でもとても人気が高く、今や世界を席巻する勢いですよね。

ココロ　すごい人気です。いろいろと観ていますが、私が最近観た有名な映画でいうと、空前のブームになった『THE FIRST SLAM DUNK』が印象に残っています。

ノジェス　私も日本の仲間たちに勧められて観に行きました。アニメや漫画などの日本の文化は、今の時代が希求する重要なメッセージの宝庫です。日本の映画といえば、私の憧れはサムライだったので、来日したばかりで言葉もわからずに観た『天と地と』という映画はかなり感動しました。

ココロ　韓国の方なのに、憧れがサムライだったのですか？

ノジェス　はい。小さい頃から一番憧れていたのが日本の「サムライ」で、世界最強だと思っていました。子どもの頃、チャンバラ遊びが好きで、向かうところ敵なしだったので、前世は武士だったのではないかと思う程でした。9歳になると母の勧めで武術道場に通い始め、学生時代は毎日楽しくて鍛錬に明け暮れていました。

それと6歳の頃、母と二人でランタンを灯しながら夜道を歩いていたときに、ランタンから出る光が、どうやって生まれ、どのように消えていくのかと疑問に思い、それを知れば宇宙自然の仕組みがわかるのではないかと考えるようになりました。また、武術の鍛錬をしていたある時、「武術の達人への鍵はスピードと力の秘密を知ることだ」と閃いて、その本質を追究しすぎて三度ほど死にかけたくらいです。

あおい　死にかけるほどの追究ですか。果敢にチャレンジする姿は人の心を打ちますよね。私はスラムダンク世代で映画は5回観ましたけど、何度も泣きました。原作漫画は90年代の作品だけど、ココロの世代でも人気があるの？

ココロ　みんなに人気かはわからないけど、周りで好きな人は何人かいるし、私は好きだな。キャラクターがみんな個性豊かで魅力的だし、何より、ぶつかり合いやすれ違い、支え合いを通して成長していくストーリーに感動する。

あおい　そうね、今回の映画では主人公が、今までの「桜木花道」から「宮城リョータ」に変わっていて、今の時代ならではという気がする。最近は目立つ人より身近に感じるキャラクターが主人公になることが多く、繊細な感情や思いを大事にする物語がウケるのかもしれないね。

ココロ　花道も好きだけど、リョータの方が「私も頑張ろうかな」という気にさせてくれるというか、共感するところが多い。

ノジェス　なるほど。国境を越えて中国や韓国でもブームになるということは、現代人の声にならない叫びが描かれた作品ということなのでしょう。

中国では競争社会を嫌がり、車も家も買わず、結婚や出産も諦めて何も求めない若者、通称「寝そべり族（タンピン族）」が数年前から増えているそうです。この行為は「終わりのないラットレース、割に合わない過労、搾取されてばかりの奴隷的な扱い」など社会的圧力に対してのサイレントテロとも言われ、引きこもって何もしないのではなく、欲望を低くして向上心を持たず、最低限の生存維持だけをしている抗議行動といえます。

あおい　その話を聞いて、少し前に日本でも流行った「ＦＩＲＥ」というものに、友人がチャレンジしていたのを思い出しました。「ＦＩＲＥ」は若いうちに資産運用などで経済的な自立をして、早期リタイアをするというムーブメントです。寝そべり族のような社会的圧力に対しての抵抗とは少し違いますが、「これまでの消費スタイルはおかしい、もっとシンプルに、センス良く自由な人生を目指すべきだ」という部分では似ている気がします。

でも、その友人はＦＩＲＥを達成した後、1年ほどでリタイア生活をやめて再就職しました。

ココロ　生活が苦しくなったから再就職したのかな？

あおい　そうではなくて、「何のために生きているのか」と疑問に思ったそうだよ。何の制限もなく、毎日が夏休みのような気ままな生活も、初めは楽しかったけれどだんだん飽きてきて、そのうち「いてもいなくても一緒のような自分」の状態になっていることに気づいて、ショックだったみたい。「ただ生きるのは嫌だ。つまらない」って言ってた。

ココロ　「いてもいなくても一緒のような自分」ってわかる。生きることがつまらない感覚は、お金があってもそう感じてしまうんだね。私も現状を「ただ生きている」だけだからつまらないのかな。

ノジェス　お友だちはそのことに気づけてよかったですね。現代人の最たる悲劇は「お金がないこと」ではなく、ワクワクする夢、歓喜溢れる夢が持てないことです。

本来、人間は「ただ、生きるだけでは満足できない」存在です。**「ただ生きる」ことは死んでいることと同じ。真の「生きる」とは、楽しくてたまらなくなること、燃え上がること**なのです。

あおい　だからスラムダンクが愛されるのか。「熱くなりたい！ただ生きるのは嫌だ！」「諦めるな！私はこんなものじゃないだろう！」という、人間の中にある無意識の叫びに共鳴するのですね。

ココロ　いろんな作品を観てると、日常ではあまり感じない感情が湧いたり、心が揺さぶられたりするのは、「もし自分もこうだったら」とか「こんなふうに生きてみたい」と思うからなのかもしれないですね。

ノジェス　ココロさんに何か理想像があるのですね。どうなりたいと思うのですか？

ココロ　そうですね、言葉にするのは少し恥ずかしいのですが、本気になれるものがあって、周りを気にせずに仲間たちと熱くなって一緒に楽しむとか、くすぶっている自分から抜け出して動き出すとか、何か達成感がほしいです。あ、これが私の本音ということか。

あおい　ココロの中に熱い思いがあるんだね。

ココロ　でも、同時にそれを打ち消そうとする自分もいて、むしろその方が強いです。「羽目を外すなんて恥ずかしい」「目立ったら馬鹿にされる」「熱くなったら負けだ」「失敗したらどうしよう」「周りに理解されないかも」「迷惑をかけるかも」といろいろ思って、何も感じないようにしているかも。それに、リアルで実際に熱くなってる人を見ると、羨ましい反面、冷めた目でみてしまう。アニメのようにつくられた世界なら、思い切り応援できるのに、そんな自分を本当に面倒くさいと思います。

ノジェス　そうした自己内矛盾も、脳と心が同時に働いているから起こります。

ココロ　そうだ、脳と心が同時に働くからエネルギーを消耗して疲れるんでしたね。本音では「本気になりたい」と思っていることに気づけたのはよかったけど、実際どうしたらいいのだろう。
それともうひとつ、アニメで強烈に心を動かされるのは「仲間」の存在です。主人公がどんな状態でも固い絆で結ばれていて、問題が起きても裏切らない関係性をみると、アニメの世界なのに思わず「ずっとそのままの関係でいて」と願ってしまいます。

人間関係は現実で一番面倒で大変だけど、漫画やアニメのような仲間がいたら最高に幸せだと思う。でもそれは理想であって、現実ではそんな関係性をつくるのは難しいです。私も「このままじゃダメだ」と思って、何とかやる気を出して頑張ったこともあるし、人間関係も本音で向き合おうとしたこともあります。

ノジェス　そうだったんですね。向き合ってみていかがでしたか。

ココロ　衝突しました。それでも話してみて何となくおさまりましたが、理解し合えたわけではなかったです。そうして諦めたり妥協したりするうちに、関係を踏み込むことに躊躇するようになって。それで相手の機嫌を損なわない適度な距離感で「わかり合えたフリ」をしていたけれど、それにも疲れてしまいました。だから、本当に人を好きになるとか愛するということもよくわからなくて。こんな状態で理想の関係を築くことって本当にできるのでしょうか。

ノジェス　脳と心が分離できれば、自然にやる気が出て、持続もできるようになります。すると人との信頼関係も変わります。イメージ的には「重力から自由になること」。重力から自由になれば、日常がゲームや遊びのような感覚になり、やる気がどんどん湧いてきます。

スラムダンクの人気の秘密は、ストーリーだけでなく「ゲーム感覚」にあります。「あと何秒…、もう少し」と、秒刻みの緊張感にハラハラドキドキしながら、バスケットボールを通して感じるゲーム感覚。そこに惹きつけられるのでしょう。

あおい　日常がゲーム感覚なら、何時間でもやる気が続きそうですよね。

依存の連鎖が疲れを生む

ココロ　重力から自由になって、やる気が湧いてくるゲーム感覚とはどんなイメージなのか、もう少し詳しく教えてもらえますか。

ノジェス　人工衛星は、ロケットエンジンを使って地上から打ち上げられますが、ロケットから切り離されて軌道に乗った後は、エンジンなどの力に頼らず、同じ速度を保ったまま地球の周りを飛び続けます。ココロさんも地球からジャンプして、人工衛星のように動いてみましょうか。

ココロ　それはムリです、飛んでもすぐに地面に落ちてしまいます。あ、それが「地球に引っ張られているから、重力から自由になれない」ということですね。

ノジェス　そうです。やる気が出たとしても、すぐにやる気が下がってしてしまうのは、重力に引っ張られているようなもの。でも、人工衛星のような動きができれば、やる気は勝手に持続します。人工衛星の軌道高度では、受ける摩擦がほとんどないため直線に動き続けようとする慣性の力が働きます。人工衛星がずっと地球の周りを回り続けられるのは、地球の「引力」と人工衛星の「遠心力」という2つの力がつり合うちょうど良いスピードでロケットから切り離されることで、地球の曲線と人工衛星の円経路が同じになるからです。これにより地球に落ちることなく同じところを回り続けられます。

あおい　落ちる重力と落ちない人工衛星のイメージの対比はわかりやすいです。でも実際に重力から自由になるのは物理的に無理ですよね。

ノジェス　そうですね。重力と人工衛星はあくまでイメージですが、このイメージを持った上で「なぜやる気が出ないのか、やる気が出たとしても続かないのか」を探ってみましょう。

この問いに関する重大なヒントである「二つの無知」があるのですが、何だと思いますか。

一つ目の無知は、「**自然に結果が出る方法がわからないこと**」、二つ目の無知は、「**いくら頑張っても結果が出ない理由がわからないこと**」です。

この二つの無知を放置したままでは、どれだけ頑張っても思い通りになりません。そんな経験を何度も繰り返せば、チャレンジすらしなくなってしまいます。

ココロ　私もしっかり当てはまっています。もし本当に「自然に結果が出る方法」があるのなら知りたいです。今までそんな発想がなかったし、思いついたとしても「私なんかに見つけられるわけがない」と思って諦めていたと思います。

ノジェス　この二つの無知は重要ですが、それよりもさらに重要なことがあります。これはやる気だけではなく、あらゆることに関わる最優先事項です。それは「**人類が最優先して解決しなければならない本当の問題が何なのかを認識できていない**」ということです。

ココロ　「最優先する問題はこれだ」とわかるのですか?

ノジェス　はい、わかります。本当の問題を認識できなければ、当然明確な答えもわかりませんよね。だから、これまでの成功体験や過去の経験を頼りに何となく問題を捉え、自分の知識内で問題解決に取り組むしかないわけです。これでは望む結果は得られず、やる気アップもやる気の持続もできません。過去の経験や体験から判断しても最優先すべき問題がわからないのは、部分的で主観的な判断しかできないからです。

あおい　それで思い出しました。ノさんの著書『心感覚』に、今までの人間は何事も何となく曖昧にして、節目がない状態で「中途半端な絶望と中途半端な希望」しか持てない。そのように中途半端では「人間を始められない」。さらに本来の人間の生き方をするために、誰もが絶対に避けては通れないのが正しい絶望であり、正しい問題意識が必要だということが書いてあって、それがわかったときは目が覚めた思いでした。

ココロ　正しい絶望に正しい問題意識…。「絶望」という単語には拒絶反応が出ますが、「正しい絶望」とまでいわれると、逆に何だろうと思います。

ノジェス　今の人間観が「人間」だと思ったら大間違いです。「**人間はまだ始まっていない**」ということは、つまり**「始まりが何か、終わりが何か」がわかっていない**ことを意味します。だから「始め方」も「終わらせ方」もわからない。ココロさんは、これまで「人間も、自分の人生も始まっている」と思い込んで疑いすら持たなかったのではないでしょうか。ですが実際は何ひとつ始まっていない、何かを始めることもできていないのです。

ココロ　「人間はまだ始まっていない」とはどういうことでしょうか？

たとえ私の生き方が中途半端だったとしても、確かに私は生きていますし、人生がスタートしたことに間違いはないと思うのですが…。ただ、そう言われてみると、確かに自分の意志で「生まれよう」として生まれたわけではないので「自ら始めた人生」ではないですし、死ぬ時も「今、死のう」と決めて死ぬこともないとは思います。

ノジェス　ココロさんが思う「自分」とは、皮膚で覆われた身体の内側のことですよね。実はその大前提は大間違いで、**その人間観は「愚かさと弱さの象徴」**でもあります。

ココロ　この身体を自分だと思うことが間違いなんですか？　しかもそれが愚かさと弱さの象徴だとは。身体を自分だと思う以外の人間観があるということでしょうか。

ノジェス　ココロさんは今、他のものと分離した「身体の私」が独立して存在していると思っていますよね。そして、その身体の目でモノを見たり、手で触ったり、足で歩いていると思っているでしょう。でも本当にそうでしょうか？　よく考えてみれば、これらが不可能だとわかるはずです。少しイメージを柔らかく広げてみましょう。

息を止めてみてください。少し経てば苦しくなり、もしそれが続けばいずれ死に至ります。そして植物が光合成をして酸素を作り出さなければ、ココロさんの生命は維持できません。また太陽が光を発しなければ植物は光合成ができません。このように物理的に見ても、**全ての存在は何かに依存しながら連動し連携しているので、分離して存在することは不可能**です。では宇宙はどうでしょう。宇宙は何にも依存せずに単独で存在し、勝手に動いているでしょうか。

ココロ　宇宙ですか？　百億年以上も前にビッグバンして宇宙がスタートしたと聞いたことはありますが、宇宙がどのように存在しているかまでは普段意識していないです。

ノジェス　そうですよね。でも、人間なら誰もが知るべき内容です。なぜなら、自分と関係しないものは、宇宙の中にも外にも何ひとつないからです。

宇宙も「独自に存在して、独自に動いている」のではありません。その裏には宇宙の誕生をバックアップするエネルギーの動きがあり、エネルギーの動きの裏には、エネルギーを生み出す「**源泉の心の動き**」があります。

ココロ　源泉の心の動き?

ノジェス　はい。この**すべての存在が生まれる「第一原因」である源泉の心の動きを「純度100%の心」**ともいいます。源泉の心の動きから全てが連動し連携しているのですが、人間はその連動や連携を無視し、「身体の自分」が分離して単独で動いていると思い込んでいるのです。これは人間の壮大な勘違いです。

ココロ　宇宙全てが連動していることは普段意識しませんが、言われてみたら確かにそうだと思えます。源泉の心の動きや純度１００％の心というのは初めて聞きましたが、そこからすべての存在が生まれたということでしょうか。

ノジェス　そうです。源泉の心の動きや純度１００％の心については後からお話しします。その前に、宇宙すべてと連動して存在していることを言い換えると、「常に何かに依存している」状態だといえます。今のココロさんもそうですよ。

ココロ　私は学生なので親に依存している状態だとは思いますが、「常に」何かに依存しているとはどういうことでしょうか。

ノジェス「〇〇がないと存在できない」のであれば、依存しているのと同じです。つまり自らが原因ではないものは全て依存状態だということです。これは人間に限ったことではありません。ではココロさん、何にも依存していないものはあると思いますか？

ココロ　さっきの話だと宇宙もエネルギーに依存していることになると言っていましたよね。そしたら時間はどうでしょう。時間は何とも関係なく独立して流れているのでは？

ノジェス　実は時間も「時間がないところ」に依存して生まれています。存在は空間に依存して存在し、空間は時間に依存し、時間は時間が生まれる前の「点」に依存しています。では点とは何でしょうか？数学や物理学では実はまだ解明されておらず、これは人間の大きな弱点でもあります。

ココロ　点がわからないことが人間の弱点ですか。

ノジェス　はい。物理学では「宇宙は点から始まった」と言いますが、点とは何か、点はいつ、どのように生まれるのか、点がない状態はあるのか、あるのだったらそれは何なのか、点がない状態からどうして点が生まれるのかなど、何もわかっていません。つまり、時間、空間、存在、エネルギーが生まれる仕組みはもちろん、それら全ての「ことの始まり、終わり」もわからないのです。だから人間活動の始まりも人間活動の基本単位も当然わかりません。それゆえに人間は、地球に誕生して800万年経った今でも「未だに始まっていない状態」なのです。

ココロ　なんだか壮大な話になってきましたね。宇宙の始まりや終わりが解明されていないことは当然だと思っていたので、問題だと思ったことはありませんでした。むしろ、「永遠のロマンであり、解明されたらつまらないのではないか」と思っていたくらいです。

でもよく考えたら、本当に全てが連動して連携しているのなら、「出発がわからない」ということは「何もわかっていない」となるのは何となくわかる気がします。私が自分のことがよくわからないのもそのせいなのですか?

ノジェス　そうです。ロマンと言うと聞こえはいいですが、問題を曖昧にしているとも言えます。

ココロ　これまで学校で教わる数学や物理学など、学ぶ内容自体に疑いを持ったことはありませんでした。でも、教える側も全ての「ことの始まり、終わり」もわからないまま教えていたんですね。人類的な問題だから仕方ないのかもしれませんが、ちょっと無責任な気もします。

あおい　私は今の話で「人間が弱くて愚か」という意味がわかりました。すべてが連携しているということは、依存していないものは何もないのに、「自分は依存していない」と思い込んで自立しようとしたり、正しくわかっていることはひとつもないのに、「知っているつもり」になっていることが愚かなんだと思いました。

ノジェス　はい。そして**最も愚かなことは「存在は存在できない」のに、存在していると思い込んでいること**です。

ココロ　存在は存在できない？

ノジェス　はい。これをｎＴｅｃｈ（エヌテック：認識技術）では「**存在当たり前感覚**」と言います。何かに依存して存在しているものはビールでいえば泡のようなもの。泡は自ら存在できず、文字通りバブル、泡沫《うたかた》であり虚構です。実は自分という存在も泡であり、１秒も実在できません。それなのに、その自分の人生が「きっと上手くいくだろう」と期待すること自体が愚かな行為なのです。

ココロ　ちょっと理解が追いつきませんでした。存在していると思い込んでいるだけで、私自身も本当は存在していなくて、泡のようなものだということですか？

ノジェス　そうです。脳も心もわからない、始まりも終わりもわからない、本来知るべきことを何ひとつ整理できていない、存在できないのに存在していると思い込んでいる。これらはまだ受け入れがたいでしょうが、今の人間の現在地なのです。

ココロ　頭の中に「?」がいっぱいです。

ノジェス　順番にお話ししますね。その前に、ここで疲れの秘密を明かしましょう。

実は、**疲れは「依存」が原因**です。何かに依存して委ねていれば自律は不可能。依存先の状態や判断に振り回されてしまい、いつどうなるのかもわからない。だから、どう足掻いても不信や不安から逃げられずに疲れてしまうのです。

ココロ　依存してお任せしていたほうが楽な気もしますが、それだと常に依存先の影響を受けることになるから、いつどうなるかわからなくて不安で疲れるということですね。

ノジェス　そのとおりです。依存は一見、楽なようですが受動的です。依存していたら、常に受け身で何かに動かされている操り人形、表現を変えれば奴隷のようになってしまいます。

いつも依存先の顔色を窺うことになり、無意識的な不安が常につきまとい、疲れてしまうのです。

疲れ知らずになるには、「何にも依存せず、自ら存在する第一原因になること」、これが秘訣です。

ココロ　常に受け身の依存状態ではなく、何にも依存しない状態になってしまえばいいと。それが、先ほどの「源泉の心の動き」ということでしょうか。なんかすごく興味があります。

ルソーの「自然に帰れ」は正しいのか

ノジェス　では、そのすべての出発である第一原因について、一緒に考えてみましょう。

ココロさんは、政治や教育に多大な影響を与えた有名な哲学者ルソーの「自然に帰れ」という言葉を知っていますか。

ココロ　私は幼い頃から親の教育方針で自然に触れることが多かったせいか、その言葉は聞いたことがあります。人間はそもそも自由で平等で生まれるから自然状態では何も問題がない。でも社会が人間を堕落させ不平等や格差を生んでしまう。だから自然状態を回復すべきだ、という思想ですよね。第一原因になるというのは、自然に帰るということですか？

ノジェス　よくご存知ですね。そう思いやすいですが違います。人間が「自然」と呼んでいるものも、何かに依存した結果物、バブルです。ですから私は「自然に帰れ」ではなく、すべての依存から脱した**「純度１００％の心」である「源泉に戻れ」**と言っています。

源泉に戻ることで、私たちは自由になれます。**自由自在と言うのは、「自らが〝理由〟であり、自らが〝存在〟していること」**です。

あおい　人間も依存して存在しているから、自由でも自在でもない。「第一原因」にならない限り、自由になれないということですね。

ノジェス　はい。ルソーの主張は、歴史発展の原動力となり、現代までその影響は続いています。民主主義も共産主義も彼の思想をベースに設計され、現在のアメリカ、イギリス、フランス、中国、ロシアなど近代国家の礎となっています。

「人間は生まれた時は自由で平等だが、人間がつくった社会システムによって権力と所有欲が生じ、生産手段を持つ者と持たざる者にわかれ、差別や不平等が生じてしまう。そのため自然に帰ることで差別や不平等がない世界をつくろう」として生まれたのが、「自然に帰れ」に基づく近代から現代までの国家やイデオロギーなのです。

ココロ　今まで、国家の成り立ちやイデオロギーなどにあまり興味を持ったことがなかったのですが、自分たちもおおいに影響を受けている大事なことなのですよね。

ノジェス　はい、簡単にみてみましょう。絶対王政の時代は国王が全権を握り、生産手段を独占して民衆から搾取しました。後にイギリスで産業革命が起こり、資本主義が一気に開花します。資本主義では国王に代わって、ほんの一握りの資本家階級が権力や生産手段を独占し、労働者から搾取します。この資本家階級に対抗したのがマルクス・レーニン主義や共産主義です。

社会を階級闘争として捉え、「暴力によって権力を勝ち取ろう」と労働者階級を扇動して団結させ、労働者階級は資本家階級に対して憎しみや怒り、恨みを抱くようになります。また、生産手段は個人任せにせず、「社会が所有、管理をしてコントロールすることで平等な労働者天国になる」と説きながら、結局は一部のエリート層が全権を握ったのです。

ココロ　共産主義の出発は資本家階級への反発、しかも暴力を扇動するなんて、敵あってのイデオロギーなんですね。平和的な考え方ではないし、それによってつくられた社会も平等とは程遠いように感じます。

ノジェス　でも未だに世界中で支持者を増やしています。今の資本主義社会は格差が広がる一方ですからね。共産主義は搾取される側の賛同を得やすい思想なのです。

自由主義の資本家階級は、共産主義者の暴力を反対しながらも、その論理を潰せません。そこで妥協策として労働者へ福利厚生を提供することなどで公平性をはかり対抗してきました。このように自由主義と共産主義は長い間、激しい対決をしてきたのですが、今は主に民主主義と権威主義の対決が深まっています。

あおい　確かに最近は共産主義一辺倒というよりも、ロシアや中国のように政治的な権力が一部の指導者に集中する「権威主義国家」が世界で拡大していると聞きます。いずれにしてもルソーの「自然に帰れ」がベースなのですね。

ノジェス　はい。ただ世界の現状をみると、ルソーの主張に問題がないのかを考える必要があります。そもそも人間は本当に「生まれながらに自由で平等な存在」なのでしょうか？

ココロ　いや、そう聞かれるとそんなことないと思います。親ガチャなんて言葉もありますが、家柄以前にも国や時代、性別、容姿、体格、肌の色、健康状態、遺伝子、家族状況など、比較したらキリがないほど生まれながらの格差があるし、不平等です。そう思うと、なぜ今まで何百年もルソーの主張が否定されなかったのか不思議です。

あおい　本当に…。生まれながらに不平等だと言われると悲しいから、そうであってほしいという多くの人の願いのようなものがあったからなのかもしれませんね。

ノジェス　ですからルソーの主張は間違っていたということです。人間は生まれながらに不平等で格差があり、自律できない依存状態です。ニーチェの著書『悲劇の誕生』の中で、神ディオニュソスの従者である賢者シレノスはしつこく質問してくる人間の王に対し、「人間にとって最も善いことは、生まれなかったこと、存在しないこと、無になること」、そして「既に生まれてしまったなら、次に善いことはすぐに死ぬことだ」と答えます。

私は、シレノスの回答に加えて「身体の人間で生きることは、最悪の地獄であると認識できること」

と答えます。「自分がある」「生きている」と思うのは最悪の病気状態なのです。

ココロ　最悪の病気?誕生時の格差ならまだしも、生まれない方がいいということは、人類の誕生そのものが間違いだったということですか。

ノジェス　いいえ。重要なのは、そもそもすべての存在は依存状態の泡沫であるとわかることです。釈迦も不生不滅を唱えていますよね。実は、生まれても死んでもいないのに「生まれた」「死んだ」という思い込みに気づかないことが問題なのです。

ココロ　生まれたのが思い込みと言われたら、どうしたらいいかわかりません。

あおい　少し難しいと思うけど、全ての存在を生み出した源泉に戻らないと依存状態から脱することはできないという話だと思う。

ノジェス　そうですね。依存状態から抜け出すには、第一原因になることと言いました。
日本はもともと「感覚的に生死を超えていた」ことをご存じですか。これを示す証はいろいろありますが、そのひとつが武士の帯刀です。殺すか殺されるか、常に死と隣り合わせにあった侍は、生死の概念が重畳し、いつ死んでもいいという覚悟がありました。命を賭けるものを自ら決め、何があっても「義」を全うしたのです。義とは役割やポジションのことですが、自ら決断と覚悟ができる義の文化を持っている日本文明には、精神性の高さを感じます。

ココロ　武士と聞くと、斬った斬られたで命を軽んじているようにも感じてしまいますが。

あおい　ここで言いたいのは武士の精神のことで、生死を超えた感覚を持っていなければ全うできない「義の文化があった」ということですよね。

ノジェス　はい。自ら決断と覚悟ができる「義の文化」が感覚的に根付いている文明は世界中どこを探しても日本以外にありません。生死の感覚を超えることで、存在を超えることができます。重要なことは、何かに依存して存在するのではなく、自ら存在できること。つまり「全ての源泉に戻ること」です。そのとき初めて、何にも依存せず、周りにも影響されずに、心の底からくる諦め不可能な夢を持てるようになります。だから主体性、自発性、能動性、やる気が自然に湧きあがるようになるのです。

ココロ　その「源泉に戻ること」ができれば、無理に頑張ったり力を入れたりしなくても、やる気が湧くようになるのですか?

ノジェス　そうです。脳と心がわかり、脳に完璧に勝利したら、自分は生まれてもいないし、死なないこともわかります。生死を超え、生死すら生み出す依存ゼロの源泉の心の動きに戻れば、ワクワクが止まらないココロさんになれるのです。

ココロ　まだよくわかっていませんが、もしそうなれたら何か変わりそうです。

ノジェス　これまでの人間は、自分の意志とは関係なく、**脳と五感を使った「存在があるのが当たり前の感覚」に支配され、不信、不安、恐怖のエンジンで生きてきました。**でもこれは武士が最も嫌う生き方です。脳に支配され、心を置き去りにすることは、日本精神への裏切りでもあり、本来の自分への裏切りでもあるのです。ルソーの「自然に帰れ」を完璧にリセットし、何ものにも依存しない源泉に戻ること。そこから宇宙自然の在り方を理解し、マスターしたときに脳から自由になり、疲れ知らず、やる気無限大になれます。

ココロ　人間にとって、源泉に戻ることが大事なのだということは、だいたいわかってきました。

人生の優先順番がわかる魔法のレシピ

ノジェス　これまでの理解とはまったく違うアプローチなので戸惑うかもしれませんが、わかってしまえばシンプルだと言いましたよね。騙されたと思って、先入観なしで聞いてみてくださいね。
では考えてみましょう。ここに「砂で一杯になった瓶」があるとします。この瓶の中に、さらに石を入れることはできますか。

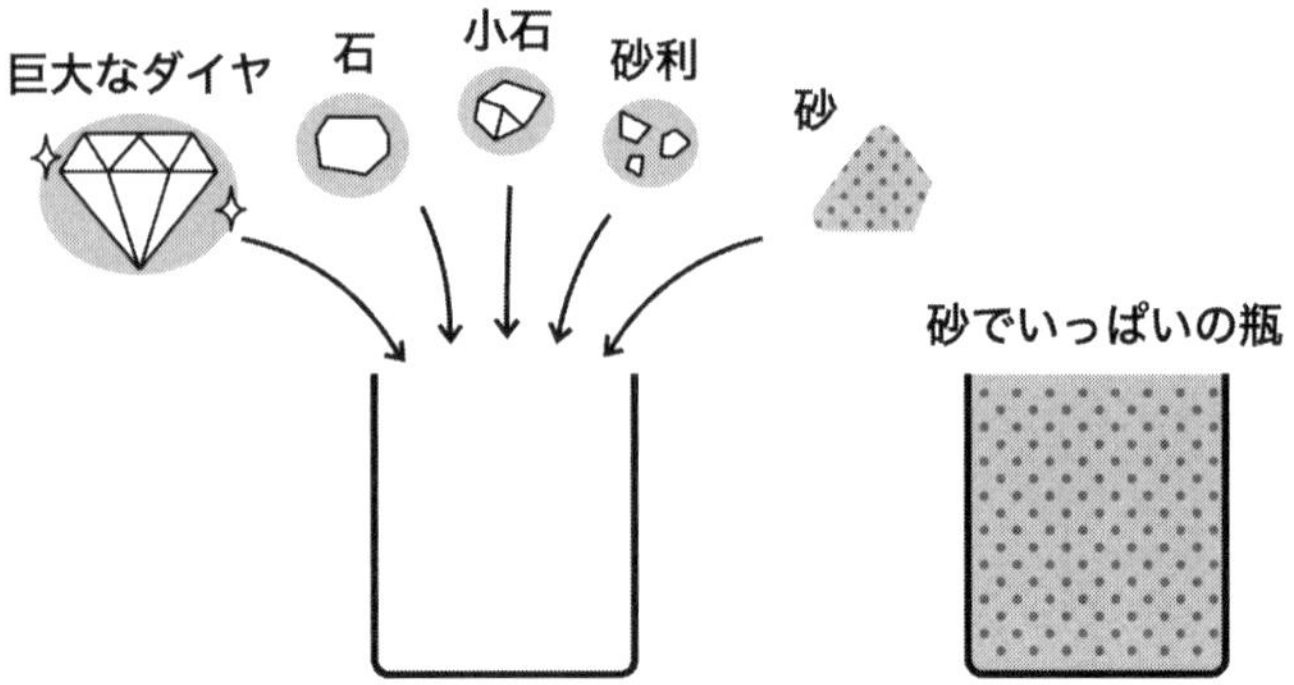

〈 5種類の人生の構成要素 〉

ココロ　いいえ。いっぱいだったら何も入らないと思います。

ノジエス　でも、砂、砂利、小石、石、巨大なダイヤの5種類を全て瓶の中に入れていっぱいにしたいのです。どうすればいいでしょう。

ココロ　それなら瓶の中の砂を一旦全部出して、瓶を空っぽにしてから大きい順に入れていけばいいと思います。まず巨大なダイヤ、次は石を入れて、その次は小石、砂利を入れ、最後に隙間を埋めるように砂を入れれば5種類全部が入ります。

ノジエス　そうですね。では、瓶を「人生」としたときに、中に入れる砂、砂利、小石、石、巨大なダイヤを「人生の構成要素」に置き換えてみましょう。

本当は先ほどのように大きいものから優先的に入れるべきです。でも多くの人は瓶を砂でいっぱいにしてしまい、それ以外のものが入らない状態になっているといえます。
では人生において、「砂」は何だと思いますか? ぜひ自分の人生と照らし合わせて考えてみてください。

ココロ　何だろう、自分のことでもよくわからないです。

ノジェス　では、別の例えをしましょう。モノを投げたら犬に当たってしまいました。犬は怒って「当たってきたモノ」に向かって吠えますが、本来、吠えるべき相手は「モノを投げた人」ですよね。この犬を見て「馬鹿だな」と笑うかもしれませんが、実は人間も同じようなことをしています。

ココロ　同じことをしている?

ノジェス　砂は「目先の利益や価値（私利私欲）、目先の問題」の例えです。つまり、人間も犬と同じように目先の問題にとらわれて、本当の原因を見ていないということです。本来、優先すべきこと、目を向けるべきことに関心を示さず、目先の問題や私利私欲ばかりにとらわれ、その達成や解決に追われて一生を終えてしまうのです。

ココロ　確かに目の前のことで精いっぱいです。でも本来優先すべきことって何でしょう。
自分なりには考えて「優先度が高い」と判断したことに取り組んできたつもりなので…。ひょっとして、先ほど話していた「源泉に戻る」とかに関係していますか?

ノジェス　はい。一番優先すべき要素である「巨大なダイヤ」は、宇宙の在り方です。「石」は歴史文明の在り方、「小石」は時代精神、「砂利」は人生の念願成就、そして「砂」は目先の利益や価値、目先の問題を指しています。

ココロ　なんだか普段考えないことばかりで、それぞれが何を指しているのかよくわからないです。

ノジェス　そうですよね。まず、巨大なダイヤとは「**宇宙の在り方**」がわかることです。

「**歴史文明の在り方**」とは、源泉の心の動きからリテラシー（解釈）して人間の秩序をつくること。

「**時代精神**」とは、デジタル時代にふさわしいデジタル認識ができること。

「**人生の念願成就**」とは、人の協力を得られるようになること、そのために一人ひとりの観点の違いを突破すること。ここまで揃ってようやく、一人ひとりの私利私欲が満たされていきます。

ココロ　歴史文明や時代精神はまだピンときませんが、誰かの協力がないと個人の目標達成や目先の問題解決が難しいことはわかります。でも、これらを全部手に入れるのは大変そうで気が遠くなります。

ノジェス　心配しなくて大丈夫です。巨大なダイヤを手に入れれば、あとは自然とついてきます。料理をするときをイメージしてみましょう。まずは作りたい料理を決め、その料理のレシピがあって、手順や材料、分量などの全体像がわかってから始めますよね。レシピを無視して手順通りに料理しなければ、期待した美味しい料理には仕上がりません。
人生のつくり方も同じです。自然に結果が出る人生にしたかったら、人生の材料や手順、仕組みなどの全体像を把握して、その通りに実践すること。宇宙の在り方の理解は、これまで誰も教えてくれなかった人生の魔法のレシピです。

あおい　まさか「宇宙の在り方の理解」が、自然に結果が出る人生の作り方につながるなんて、誰も想像しなかったと思います。

ノジェス　そうですね。人類は多くの知識が様々な問題解決につながると思い、知識を積み上げてきました。でもそれは違います。実は、**ひとつがわかれば全てがわかる**のです。逆にいえば、**ひとつがわからなければ全てがわからない**ということです。
これまでほとんどの人類は、その肝心の「ひとつ」の追究を諦めてきました。そしていつの間にか追究自体を忘れ、目先に忙しくなって、今では全人類が出口の見えない迷路の中に追い込まれています。これは何もわからない状態から目を逸らし、黙認し続けた結果でもあります。

ココロ　その「ひとつがわかれば、全てがわかる」という「ひとつ」とは、「源泉」「宇宙の在り方」のことですか?それがわかれば、料理のレシピのように自然に結果が出る人生になるということでしょうか。

ノジェス　はい。自然に結果が出る人生のつくり方は順序が大事です。ですから、知るべきことの優先度を変えましょう。これまでの「手段知・道具知」ではなく、これからは「目的知・完全知」に目を向けることです。

ココロ　目的知・完全知ですか？それらは、どんな知なのでしょうか。

知るだけで人間が完成する「目的知・完全知」とは

ノジェス　何か知識を得た時、「学んで終わりを卒業しよう」とか「学んだ知識を実践に活かすことが大事だ」など、何かと行動が重視されます。これは「知識は実践のための手段であり道具である」ことを意味します。つまり、得るだけでは完了しない知識が「手段知・道具知」です。

ココロ　はい、私も知識は実践に生かして使わなければ意味がないと思っています。

ノジェス　ココロさんがそう思うのは、既存の知識は全て「手段知・道具知」だからです。

これまでは知識を基にトライ&エラーを繰り返し、80%完成、90%完成……と未完成のプロセスを経ながら、期待する１００％の結果が得られた時点でようやく知識として完成します。ということは、完成に至るまでは知識も実践行動も未完成であり不完全、場合によっては未完成のままで終わってしまうこともあります。

ココロ　未完のまま終わることはよくあります。結果が出るまでに膨大な時間を要したり、どれだけやっても結果が出ない時もあります。そんな時は「やり続けて意味があるのか」「頑張りが足りなかった、やり方が悪かったのか」などと自分を責めることが多くありました。このことが、これまでの知識と関係しているということですか。

ノジェス　はい。知識には大きく分けて二種類があります。**帰納的な「手段知・道具知」**と、**演繹的な「目的知・完全知」**です。Ｋｎｏｗ（知る）Ｄｏ（実践）Ｈｏｐｅ（王道、文化ＤＮＡの獲得）のエネルギーバランスをみると、Ｋｎｏｗが0.7％、Ｄｏが39・３％、Ｈｏｐｅが60％と、Ｋｎｏｗに費やすエネルギーはほんの僅かです。

発明王トーマス・エジソンは「失敗すればするほど、我々は成功に近づいている」と言いましたが、知っていることはほんの僅か（0.7％）で、その知識を土台に数え切れないほどの実践を繰り返し（39・3％）、ようやく王道が完成（60％）します。その王道が集団知性体の文化ＤＮＡになって社会に貢献し、王道を生み出した人が歴史に名を残すのです。

あおい　既存の学問を元にしている知識は「始まりも終わりもわからない」から、実はよくわかっていない。その不完全な知識で、「あでもない、こうでもない」とやってみないとわからない「手段知・道具知」では、王道に辿り着けないこともあるというのですね。

ノジェス　そうです。一方、**目的知・完全知は「知ること＝目的」の知識なので、知るだけで意味・価値が完成**します。つまり知るだけで全ての問題をオールクリアできる認識が得られるという「認識の拡張」が起こるのです。

ココロ　知るだけでオールクリアできる目的知・完全知というものがあるなんて、本当だったらみんな知りたいと思います。

ノジェス　目的知・完全知は、Ｋｎｏｗの中にＤｏもＨｏｐｅも含まれています。ですから0.7％のＫｎｏｗ（知る）だけで完成し、残りの99・3％は、ゲーム感覚、遊び感覚でゆとりを持って楽しめます。例えば、今まで１０００時間かかっていたことが7時間で済めば、９９３時間余りますよね。その剰余エネルギーがあれば余裕が出ると思いませんか。

ココロ　実際にそうなればすごいと思いますが、そんなことができるのですか？

ノジェス　できますよ。では「知るだけで完成」とはどういうことなのかをもう少し深めていきましょう。人間は考える生き物です。質問（Question）が生まれて答え（Answer）を得る。その

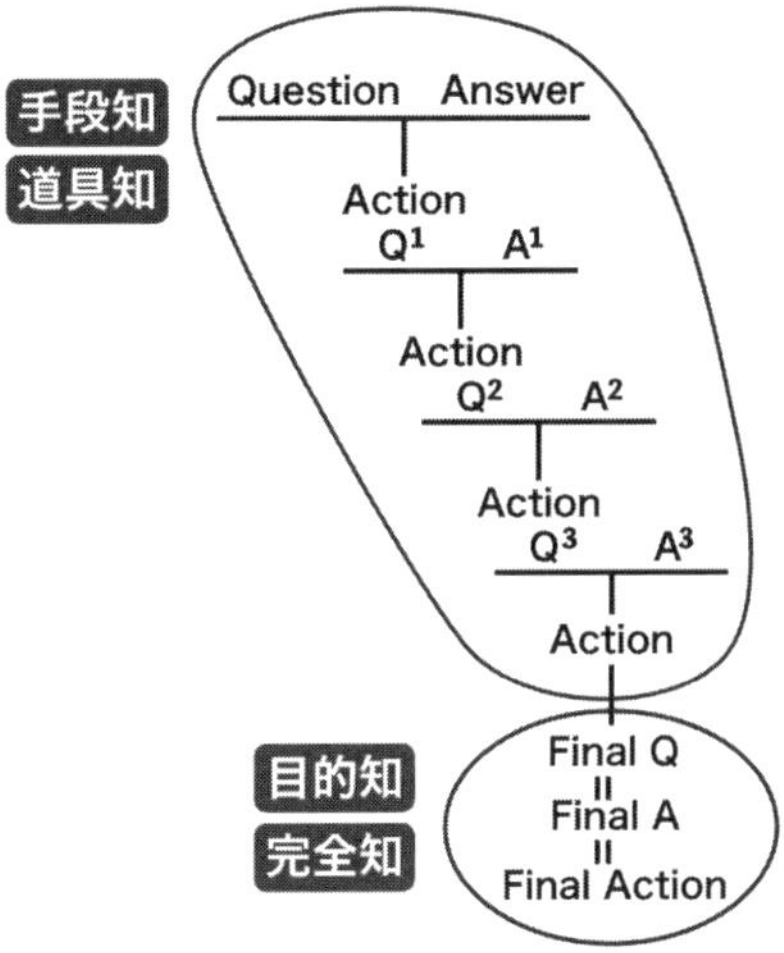

〈演繹的な「目的知・完全知」と帰納的な「手段知・道具知」の知識の違い〉

答えを実践（Action）すれば、また新たな質問が生まれてその答えを得る。その答えを実践すれば、また違う質問が生まれる。これをひたすら繰り返してきたのが手段知・道具知です。ですが、**ファイナルクエスチョン（Final Question：最終質問）の発見**ができれば、これまでの繰り返しを終わらせることができます。**ファイナルクエスチョンは、ファイナルアンサー（Final Answer：最終解答）と表裏一体の関係、つまり「Q＝A」**です。

啐啄同時《そったくどうじ》、あうんの呼吸のようなもので、「質問を投げれば勝手に答えが来る」のです。これが目的知・完全知に達した境地です。

ココロ　質問と答えと実践の堂々巡りがなくなって、質問すればすぐに答えがくる「目的知・

完全知」というのはちょっと想像もつかないですが、表裏一体というのは何となくわかります。

ノジェス　万能細胞と言われるｉＰＳ細胞はご存じですか。日本語の正式名称は「人工多能性幹細胞」で、京都大学の山中伸弥教授らが作製に成功し、２０１２年にノーベル医学・生理学賞を受賞して話題になりました。ｉＰＳ細胞には「細胞レベルでの全ての答え」が入っています。つまり、どんな細胞にも分化して様々な組織や臓器になれる全能性とでもいうべき「生命レベルの無限の可能性」が備わっているのです。これは生命レベルで源泉に戻ることに成功したモデルで、心時代到来のシンボルでもあります。

ココロ　生命も生命レベルで源泉に戻れるなら、人間にもできるはずですね。

ノジェス　はい。このｉＰＳ細胞のように、目的知・完全知は、Ｋｎｏｗの中にＤｏもＨｏｐｅも、全ての答えも入っています。ですから、やってみる（Ｄｏ）前から結果がわかった状態で行動に取り掛かれて無駄な考えが一切なくなり、ただ行動をゲーム感覚、遊び感覚で楽しめるのです。
目的知・完全知に達することは、純度１００％の心である源泉の心の動きに戻ることとイコールです。
全ての始まりであり終わりである源泉の心の動きには、全ての答え、全ての可能性が詰まっています。
脳と心（２）が分離できれば、純度１００％の心（１）になる。つまり「２が１」になり剰余エネルギーが生まれるのです。

ココロ　目的知・完全知というのは、「知って終わり」の行動しない怠け者になってしまうことではなく、答えに全てが入っているから自然に行動が生まれるということでしょうか。

ノジェス　はい、その通りです。人間は何を知り（Ｋｎｏｗ）、何をやり（Ｄｏ）、何を希望するべきか（Ｈｏｐｅ）が明確になれば、自然と心のゆとりが生まれます。

出発が満たされ、やる気や誇り、自信感が無限に溢れるのです。そして時代のミッションと自分のミッションが見えるので「私の人生はこれでいく」と決めることができ、もう迷うことはありません。

だから後は行動して楽しむだけです。

ココロ　そうなれたら、無理して頑張ったり、諦めたり、自己否定する人生が変わりそうな気がします。それには、知るべきことを知ることですよね。

ノジェス　はい。ところで、人間と犬が１００メートル競争をしたらどちらが勝つと思いますか。

ココロ　まっすぐ走ることとさえできたら間違いなく犬だと思います。

ノジェス　そうですね。人間は最速でも時速約44キロメートル、犬は平均で時速約50キロメートルくらいと言われますから犬の方が速いです。もちろん身体能力の違いもありますが、違う観点でみると、犬は「走る行為」そのものを楽しみます。でも人間は勝敗に囚われたり、「何のために走っているのか」と、意味や価値を探したりして、走る行為をシンプルに楽しめません。

これまで人間は「できない・足りない・わからない」状態を「できる・満たされる・わかる」状態に変えようと、×から○にする努力をしてきました。ですがこれでは、どれだけ頑張っても×はなくならず、自己否定が終わりません。

でも目的知・完全知に到達すれば、足りないものはひとつもなく、満たされた状態がデフォルト（初期設定）になるので、「犬の走り」のように全ての過程が楽しくてたまらなくなります。

そして楽しんで動いているうちに、もっと満たされていきますから、満足の達人になれるといってもいいでしょう。すると、自己肯定から出発した○から◎、花丸への変化ができるようになります。

このように目的知・完全知に至れば、自然と剰余エネルギーが溢れるようになりますが、残念ながら今の科学ではエネルギーの本質もエネルギーの発生の仕組みもわかっていません。

ココロ　目的知・完全知ならエネルギーの仕組みもわかるようになるということですか？

ノジェス　はい。「人類はまだ始まっていない」といいましたが、人間の現在地は、人類誕生から800万年間ずっと自分の思い込みや錯覚の中の住人です。生まれてからずっと眠ったまま、夢だとも気づかずに、夢の中で起こることに一喜一憂して懸命に「生きている」と思っているのです。

これでは夢を見ながら寝言を言っているようなものです。その思い込みに気づいて夢から目覚め、源泉に戻り、自分の人生を生きてみたいと思いませんか。

ココロ　人間を始められていないのであれば、ちゃんと自分の人生を始めたいです。

ノジェス　それには「宇宙の在り方」を知ることです。点が生まれる前段階の源泉がわかること。始め方がわかるから終わり方もわかります。

宇宙自然がない状態から、どのようにして時間、空間、存在、エネルギーが存在するようになったのか。それらを生み出す源泉の心の動きとはどのようなものなのか。これらが明確になる目的知・完全知に達した時、人間本来の尊厳の花が咲き、心が満たされます。

これを**心感覚**、**幸せ感覚**、または**自然に結果が出る変化の出発点感覚**と言います。人間が起こすべき事件は、知るだけで人間が完成する目的知・完全知に到達することです。

あおい　今の社会では、多くの人が情報の処理に追われて疲弊していますから、「これさえ知ればＯＫ！」という一生使える知識技術があると知ったら、ほっとすると思います。

BEST
BEING

2章

AI時代の ベストビーイングの生き方

史上最大の大ショック?!「宇宙は実在しない」

ノジェス　自分の目で見たものしか信じない、「言った、言わない」の水掛け論はよくあることですが、ココロさんは経験ありますか。

ココロ　あります。母とは「言った、言わない」でよく揉めますし、友人は自分が見たものや科学で証明されているものしか信じないから、話が合わない時があります。

ノジェス　自分の目で見た、自分の耳で聞いたなど、体験や経験しか信じないという人は大勢います。これまでの人間は、脳と五感に依存した身体感覚を大前提にしてきましたからね。ココロさんは今、地球の自転や公転の動きを感じますか。

ココロ　いいえ、感じないです。

ノジェス　でも、地球が自転や公転をしていることは認めていますよね。その友人も、自分で体感できない自転や公転のことは認めるでしょう。矛盾していると思いませんか。

ココロ　確かに。体感できなくても、当たり前のように地球が動いていると思っていました。

ノジェス　天動説の時代は身体感覚が絶対基準でした。身体感覚では地球の動きを感じられないので、地動説の提唱者は異端扱いされ、聖書の教えにも反するため罪人になりました。その後、地動説が認められ、死後３５０年経ってようやくガリレオは地動説の罪を許されます。この動かない地球（天動説感覚）から動く地球（地動説感覚）への移行は、宗教の時代から科学の時代へのパラダイムシフトのきっかけになりました。

それまでの**天動説は経験による知識（経験知識）**でしたが、**地動説からは概念による知識（概念知識）**がメジャーになっています。もし今の時代に、身体感覚を絶対基準として、「地球は固定していてその周りを星々が動いている」と天動説を主張しても受け入れられないですよね。この話でわかるように、身体感覚は絶対基準になり得ないのです。ですが私たちは、理論上は理解していても、実際の日常生活は未だに「天動説感覚」が大半を占め、自分の身体感覚を基準に物事を判断しているのが現状です。

ココロ　それは、何百年も昔の「天動説時代の人と同じ基準で生きている」ということでしょうか。

ノジェス　実は何百年どころか、人間は7万年も前の原始時代の基準で生きています。その話はあとでしましょう。身体感覚を基準にしていれば、どう見ても存在はあるし自分も生きているとしか思えない。だから「人間と人間の宇宙が実在する」ことを疑う人はほとんどいません。

そこに「人間と人間の宇宙は実在しない」と主張する人が現れたら、「何を馬鹿なことを」と言いたくなりますよね。

ココロ　そうですね。でも、身体感覚や経験知識が信頼できないものだとしたら、これから何を基準に生きていけばいいのかということになります。

ノジェス　「人間と人間の宇宙は実在しない」のであれば、当然ココロさんも実在できません。何かに依存したら、それは実在ではないからです。

ココロさんという固定した存在を実在すると認めたなら、遠い過去から二百年後も千年後も、この先、永遠に変わらずに実在し続けなければなりません。でも実際には、25年前にはココロさんはご両親の細胞の一部だったし、千年先まで今の姿で生きていることもありません。宇宙も同様です。**「生きている」「存在がある」ことを当然と思うのは、脳に完璧に洗脳された脳中毒**とも言えるのです。

ココロ　脳中毒とは「脳に依存している」ということですよね?

確かにすべての存在はいつ生まれて、いつ無くなるのかもわからないし、流動的で不安定です。それでも、「私は今、生きていて存在している」と思っています。

ノジェス　身体感覚は「生まれたままのデフォルト（初期設定）状態」です。何も努力しなくても目を開ければ見え、音も勝手に聞こえます。これは**初期設定された受動的で先天的な認識機能に騙されている状態**です。でも人間には「考える力」が備わっていますから、「この初期設定に何の問題意識も持たずに、ただ生きていいのか」と疑問を投げることです。

生まれてみたら「自分がつくっていないもの」に囲まれている状態で、親がいて社会システムがあって、宇宙自然があって、と既に環境が用意されています。それを当たり前に受け入れて、人間のゲームがどんなゲームなのか、どんなルールなのかもわからない。そのような「自分の意志とは関係ない、何となく見よう見まねで生きてみるだけのゲーム」はどうですか。

ココロ　それはいい気がしないです。そうか、自分がやりたいゲームではなく、生まれたときからすでに用意されている人間ゲームに入ってしまうから、わけがわからなくてやる気が出ないんですね。

ノジェス　反対に、自分の意志で自分の人生を設計して楽しめるとしたらいかがでしょう。

ココロ　自分のゲームを自分で設計できるのなら、大きく何かが変わりそうです。

ノジェス　でも、それは身体感覚の受動的な感覚のままでは叶いません。「人間と人間の宇宙が実在する」ことを大前提にしてきた結果が「今の現実」、つまり「つくられたゲームの結果」なら、**大前提を疑ってみる**べきだと思いませんか?

そしてもし、自分も宇宙も本当に「実在しない」としたら、これまで気にも留めなかったことに疑問がたくさん生まれてきませんか。

ココロ　実在しないなんて言われたら、疑問があれこれと湧いてきます。もし本当に実在しないというのなら「どうしてあるように見えるのか」「どんな仕組みでこの世界は成り立っているのか」「実在しない世界とはどんな世界なのか」など、気になることがいっぱいです。

ノジェス　知的好奇心がどんどん湧いてきますよね。天動説から地動説の変化は人類にとって大きなショックでした。この事件によって宗教の教えや五感に疑いを持つことになり、大前提がことごとく覆されたのです。その後は人類にとって、数えきれないショックと発展が起こりました。馬車から自動車になり、自動運転車になったり、固定電話から携帯電話になり、スマートフォンになったりなど様々です。

ココロ　これまで人間にとって当たり前だった大前提が崩れることで、ものすごい進化発展が起こったのですね。

ノジェス　はい。大前提が壊れた時、人間はショックを受けます。その**ショックによって過去に別れを告げ、新しい時代や概念をつくるのです**。「力の概念」なくして地動説は説明できず、科学の発展も不可能でした。

今の時代に別れを告げ新しい時代を開くためにも、今までにない全く新しいショックと概念が必要です。そうでなければ、これ以上の人類の進化発展は望めません。重要なことは、宇宙の在り方を変えること。また、その勇気と覚悟と知恵を持つことです。

「人間と人間の宇宙は実在しない」という大前提の破壊は、これまでの人類史の数々のショックや、天動説から地動説へのショックとは比較にならない人類最大のショックです。当然、新概念が生まれ、類をみないパラダイム転換を起こします。

実は、**宇宙は有ったり無かったりしているものであり、もっといえば宇宙は実在しないのです。**「物質の宇宙」をゼロ化して源泉に戻り、源泉の心の動きによる「心の宇宙」にシフトチェンジすることが今の時代の要請なのです。

ココロ　実在しないと言われても、今は「そうですね」とは言えないですが…。でも本当に「この宇宙は実在しない」としたら驚きです。そして新しい概念というのがあれば知りたいです。

目の前のものが見えていたとしても実在しないことが納得できれば、地動説が認められたときのように、受け入れることができると思います。まずは先入観を持たず、なぜそう言えるのかをお聞きしたいです。

答え探しより「正しい問題発見」

ノジェス　では、考えてみましょう。バケツに水を入れて勢いよく振り回すと、バケツが逆さになったときも水はこぼれませんよね。これは円運動をしている物体に対して、中心から遠ざかるように「遠心力」が働くからですが、振り回しているバケツから手を離せば、バケツは外へと飛んでいってしまいます。ではその振り回している手のスピードを緩めるとどうなりますか？

ココロ　遠心力が弱まるのでバケツの水がこぼれると思います。

ノジェス　そうですね。このことから**「求心力（向心力）によって遠心力が生まれている」**ことがわかりますか。遠心力と求心力の2つの力があるようにみえますが、実は「求心力しかない」ともいえるのです。

ココロ　言われてみればそうですね。求心力を強めると遠心力も強くなり、求心力が働かなければ遠心力は生まれないのですね。

ノジェス　そのとおりです。先ほど、巨大なダイヤや砂の例えで「優先順位」の話をしましたが、大半の人は「目先のわかりやすい問題」にフォーカスし、その問題解決に追われてしまいます。

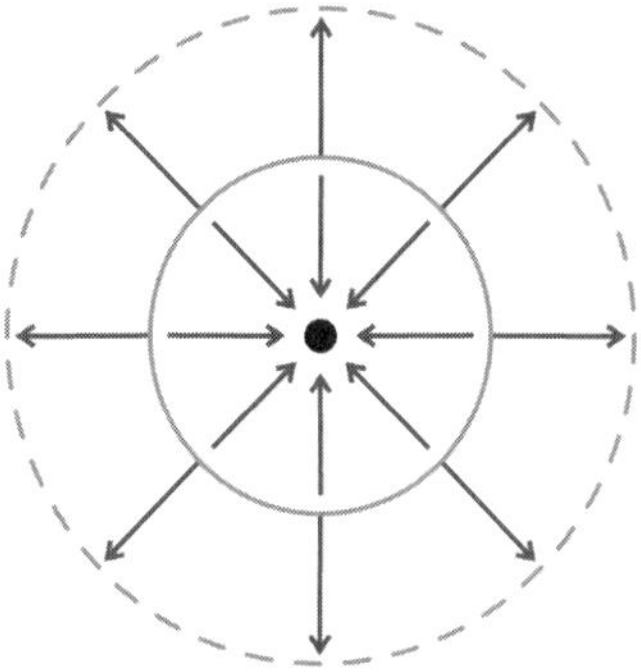

求心力…究極の問題発見・認識・理解
遠心力…多様な目先の問題とその問題の解決

ですがそれでは、むしってもまたすぐに生えてくる雑草のように終わりがありません。

遠心力は全方位に拡散する「目先の多様な問題とその問題の解決」の例えで、**「求心力」は多様な問題の根っこに当たる「原因」**です。求心力のように、どんな問題も根っこの一点さえクリアすれば、無数にあるようにみえていた問題は自然消滅します。

ココロ　つまり人間は、問題の根っこの一点である原因に注目せず、遠心力のように終わりなく生まれてくる目先の問題と、その問題の解決に翻弄されているということですね。

ノジェス　はい、逆に究極の問題を発見して、その問題を認識し、理解ができたら、解決策は自ずとみえてきます。だから目先に散在する問題に気を取られずに、求心力の一点だけにとことん勝負すればいいのです。

人類は、人間が最優先して解決しなければならない問題を通してひとつになることができます。この究極の問題が認識でき、何よりも最優先すべきことだとわかれば、その解決に集中が起きて無駄な考えや行動がなくなるのです。ただ、**問題解決よりも難しいのが、最優先すべき問題の発見（認識／観察、始まり）と問題の理解（終わり）**です。

ココロ　問題の発見と理解がなぜ難しいのですか？

ノジェス　そもそも人間の脳は、正しい認識や観察ができないからです。量子力学では、「観測行為が測定対象に影響を与える」と言っていますが、ご存じですか。

ココロ　どういうことですか？

あおい　存在は波動と粒子の両方の性質を持ち、人間の観測行為が働くまでは物事の状態が確定しない。けれど人間の観測行為が働いた瞬間に粒子として決定されると言っているものですね。

ノジェス　はい。存在を量子力学の観点でみたら、観測行為が働く前は波動状態で、存在として決定していません。けれど人間が身体感覚で見たり触ったりと体感し、認識したときに「何かが存在した」と判断します。なので「何かがある」と思うのは身体感覚の結果物です。逆に身体感覚で認識できないものは「ない」ことにしてしまいます。

ココロ　先ほどの地球の自転や公転を体感できないことや電波など、五感ではキャッチできなくても有ると認識できるものもあります。そのようにミクロからマクロまで、五感や脳では認識できない世界があるので、脳を基準にしてはいけないということですか。

ノジェス　私たち人間は、知覚できたものだけを寄せ集めて「現実や宇宙自然」だと思っています。でも実は知覚できないことの方が大半です。また、動物や植物は当然ながら人間とは違う感覚を持っていますが、それを無視して、「人間の感覚」だけを基準に判断しています。

ココロさんは今、私やあおいさん、目の前のテーブルやコップなど、たくさんのモノを見ていると思っていますよね。でも実はココロさんの目は「あるひとつのモノ」を見る機能しかないのです。

ココロ　実際にいろいろ見えていますが、どういうことでしょう?

ノジェス　では、電気を消して部屋中の隙間をピッタリと塞いだとしたら何が見えますか。

ココロ　真っ暗なので何も見えません。

ノジェス　明暗によって見え方が変わるのはなぜだと思いますか。

実は、目は「多様なモノ」を見ているのではなく、「光(可視光線)」しか見ていないのです。光源が放った光がモノに当たり、その反射した光を目で受け止めて「何かがある」と認識しているのです。目の前のものは何も変わっていないのに、光が有るか無いかで、存在が有ったり無かったりするの

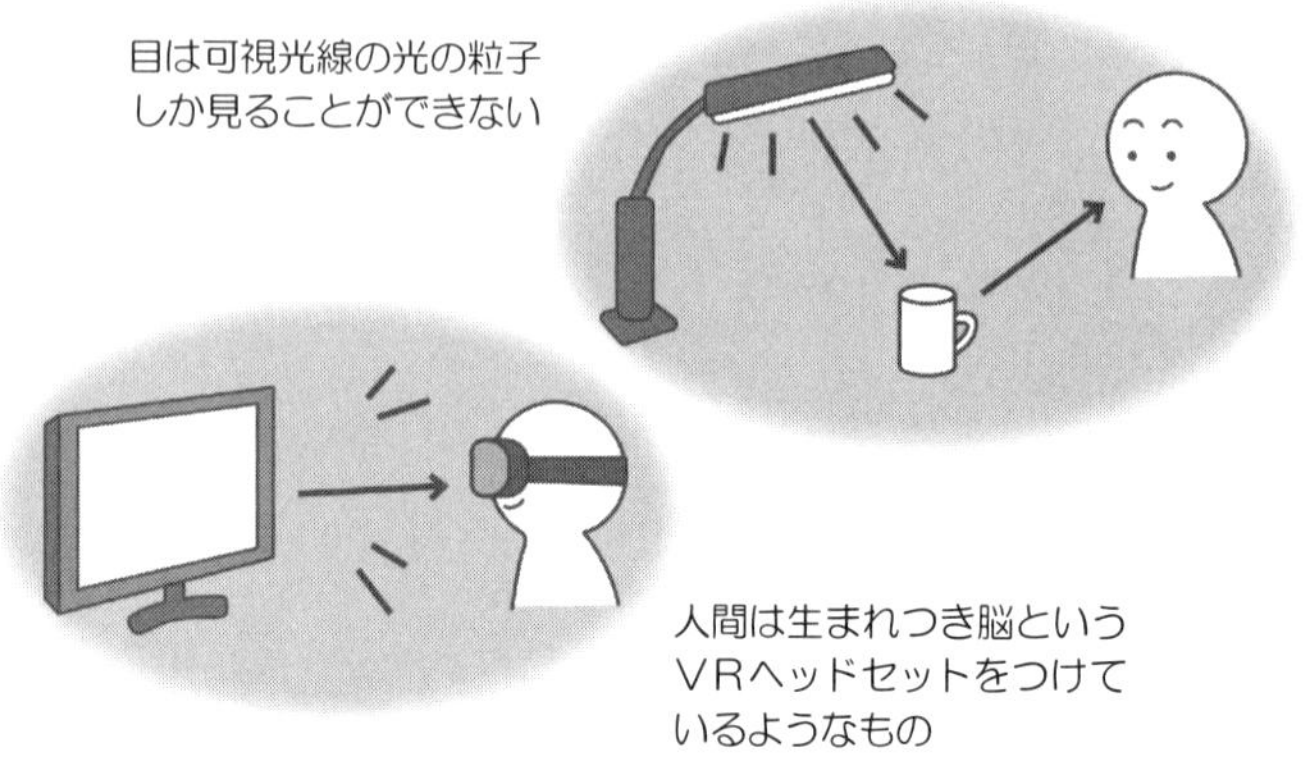

ですから、いかに目が当てにならないのかがわかりますよね。

繰り返しになりますが、私たち人間が当然のように頼りきっている「脳や五感（視覚・聴覚・嗅覚・味覚・触覚）」は、絶対基準にはなり得ないのです。人間は、そもそもの基準点が間違っていたことに気づかなくてはなりません。

あおい　そもそもの基準点が間違っていたら、過程も結果も間違いになってしまいますね。

ノジェス　人間は、生まれつき脳というVR（バーチャル・リアリティ：人工現実感）のヘッドセットをつけて生まれてくるようなものです。脳は不完全なので常に「観察エラー」を起こしているのですが、誰もが生まれつき脳を装着しているので、その機能の不完全さに疑問を持たないのです。

あおい　以前にノさんから**人類全員が脳という一人ひとり異なるVRのヘッドセットを装着して、バラバラの虚構世界にいる**と教えていただいたときは、本当に衝撃的でした。生まれてからずっと「自分の観点しか観たことがない」とは思ってもみなかったし、知らぬ間にVRのヘッドセットを被って、VRゲームに踊らされていたのかと思うと自尊心が傷つきました。

ココロ　自分の観点しか観たことがないとか、踊らされてるってどういうこと?　何かに依存してきたこととつながるのかな。

あおい　「自分の観点しか観たことがない」というのは、自分のみている世界を誰とも共有したことがないということ。もし「共有できた」と思っても、それは大いなる誤解で、みんな自分の観点をみているだけなので、わかり合うことができないということなの。

ココロ　そんな、人とわかり合うこともできないなんて。

ノジェス　これまでの人間の現在地が少しみえてきましたね。ここからさらに深めていきましょう。

人間はなぜ生まれたのか？人類総迷子状態

ノジェス　多くの人は、自分は人間として生まれた、自分で生きている、自分がモノを見ている、つまり「自分の人生は自分で生きている」と思っています。でも、実は「何か」が、脳というVRのヘッドセットを初期設定したから、私たち人間は「自分の意志とは関係のない、何かによってつくられたゲームの中」で、生まれた、生きている、見ていると思い込んでいるだけです。

ですから「身体＝自分」と思っていては設定されたゲームに右往左往するだけで、思った通りに生きられません。ココロさんは、「命令に従うだけの人生」は楽しいですか。

ココロ　嫌です。もしかして、「初期設定されているというのは、命令されている」ということですか？

ノジェス　そうです。ですから自らの意志で生きたいと思ったら、生きるように命令（初期設定）した犯人を捜すことです。何かによってつくられたゲームの中で、アバターとしての身体の自分が設定され、機械的な条件反射を繰り返すように「プログラム（命令・設定）された人生」を送っているのです。

そのように自由意志が一切働かない、思った通りにならないゲームをやらされる人生に、何の疑問もなく**「ただ生きていいのか」と疑問を投げかける**ことです。

自分と自分が観ている世界を存在させているものは何なのか。この疑問を放置したまま、目先の出来事に条件反射しながら「1秒でも長く生きたい」と生存本能だけで生きるのが人間ではありません。この現実にはあなたの主体性、自発性、能動性、自由意志が全く働いていない。つまり、「**身体の自分でできることは何ひとつない**」のです。

ココロ　そうすると私は、ＲＰＧゲームのような現実の中で「アバターとして操作されている」だけで、ゲームを操作している「犯人」が別にいるということですよね？

そんなはずはないと思いたいですが、もしそれが本当なら犯人が誰なのか探さないと…。

「初期設定されている」と初めて聞いたときは、人間皆が同じなら仕方ないと思っていました。でも、抗っていた親や社会ですら「犯人の命令」によって操られているゲームだとしたら、初期設定した犯人をどうにかしない限り、何も変わらないということなんですね。

ノジェス　はい。では「何かによって初期設定されている」という人間の現在地を、より具体的に理解しましょう。お二人は、「自分はどこから来て、どこに行くのだろう？」という疑問を持ったことはありますか。

ココロ　あります。でも親も友達もそんなこと誰も言わないから、おかしな質問なのかと思って誰にも言えないでいました。

あおい　私も考えたことはあります。でも考えても答えが出ないし、不安になっていくから考えないようにしていました。

ノジェス　日本には「いぬのおまわりさん」というとてもかわいい歌がありますね。

「まいごのまいごのこねこちゃん、あなたのおうちはどこですか。

おうちをきいてもわからない、なまえをきいてもわからない…」

まさしく人間の状態を表しているような歌で、本質的にみても、とても優れた歌だと感動しました。

どんなに楽しい時間を過ごしても、ふとした瞬間に不安や不信感、恐怖、孤独感などが湧き上がるのは「人生が迷子」だからです。「始まりも終わりもわからないまま生きている」今の**人間の現在地は「人類総迷子状態」**だと言えます。不信や不安を払拭しようと趣味や娯楽に走っても、求心力の一点を押さえない限り永遠に不信や不安は払拭されません。

そんな悩める人間に追い打ちをかけるように、「変化要求」が常にプレッシャーをかけてきます。

ココロ　変化要求ですか？

ノジェス　社会状況や環境は刻一刻と変わりますよね。そのような「人間を取り巻く環境の変化に対応せよ」と要求され続けているのです。対応できなければどうなるでしょう。

ココロ　社会についていけなくなって生きるのが大変になりそうです。

ノジェス　そうですよね。対応できなければ生存競争の敗者になって、生活することすら脅かされてしまいます。でも、それでは死活問題ですから、どうにかして変わろうと自分の生存能力を強化するために盲目的に動いてみるのです。

ココロ　常に変化する環境の対応に振り回されているということは、主導権は環境側にあるということですか？

ノジェス　はい。初期設定された身体の人間にできることは何ひとつないので、自らの意思決定もできません。それなのに「常に変わらなければならない自分」を要求されてしまいます。環境に右往左往していると、時が経つほどに持続性や一貫性、客観性が薄れ、そのうち「何が事実なのか、何が自分の思い込みなのか」という判断ができないほど、自分勝手な思い込みがひどくなります。すると、さらに他人の目が気になり軟弱になるという負のスパイラルから抜け出せなくなってしまうのです。

ココロ　それ、まさに私のことです。でも社会環境の変化は速くなる一方なので、このまま放置したら環境に合わせることもできなくなってしまいそうです。この先どうなってしまうのでしょう。

完全死で自分の考えの外に出る

ノジェス　この負のスパイラルから抜け出す方法はあるので、安心してくださいね。順を追って理解していきましょう。

先ほどあおいさんが「自分の観点しか観たことがない」ことが衝撃だったと言いましたよね。

身体の人間は、何者かによって初期設定され、常に一つの観点に固定されています。この観点の問題が「人類が最優先して解決しなければならない問題＝ファイナルクエスチョン」につながっていきます。また、観点の問題はＷＨＡＴ、ＷＨＹ、ＨＯＷの３つに大別できます。

ココロ　「身体の自分でできることは何ひとつない」とか「人生は迷子」とか、人間は弱くて絶望的なんだと思い始めていたところなので気になります。

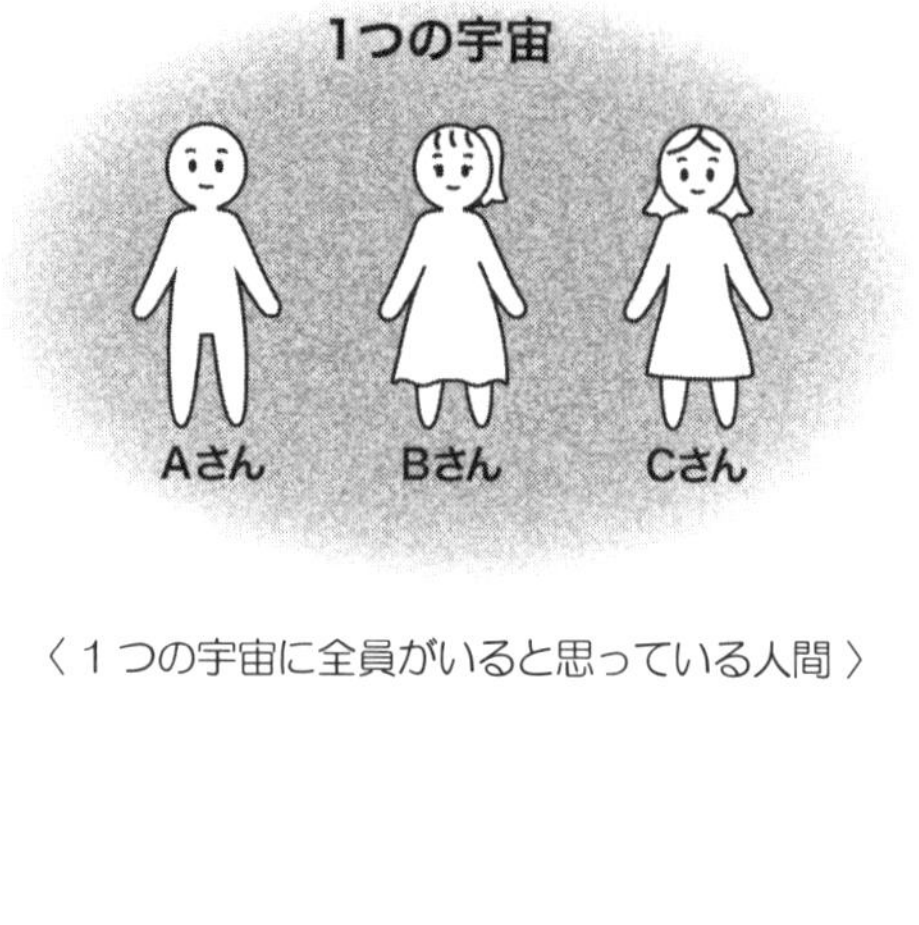

〈１つの宇宙に全員がいると思っている人間〉

ノジェス　観点の問題を解決すれば、すべての問題が一掃されます。では、**「観点の問題」のWHAT（観点の問題とは何か）とWHY（なぜ観点の問題を解決しなければならないのか）**からみていきましょう。

「自分の観点しか観たことがない状態」とはどんなイメージかといえば、「繭《まゆ》の中のサナギ」です。蚕が糸を吐き出して繭をつくるのは知っていますか？そのように自分の観点でつくった繭が「自分の宇宙」で、その繭の中にいるサナギが「自分」です。

ですから、ひとつの繭に全員がいるのではなく、一人ひとりが自分だけの繭の中にいます。繭の中がその人のみている世界の全て、つまりその人の宇宙です。

ココロ　誰もが自分だけの繭の中にいるサナギ状態で、繭が自分のみている宇宙なのですか。

「繭の中に私だけがいる」としたら、他のサナギは見えなさ

〈 自分の繭の中にいるサナギ状態の人間 〉

そうですが、他の人の姿が見えるので、「1つの宇宙にみんながいる」と思ってしまいます。

ノジェス　そうですよね。VRのヘッドセットをイメージするとわかりやすいと思いますが、自分のVRの宇宙に他の人が登場し、逆に他の人のVRの宇宙にココロさんが登場しているようなものです。

なのでココロさんが観ている宇宙は、すべてココロさんの観点がつくった結果物です。

右を見ても、左を見ても、お母さんを見ても、お金を見ても、すべてココロさんの観点、感覚の結果物。例えばパリに行ったとしても、さらには宇宙に行ったとしても、どこまで行ってもココロさんの観点の中、脳の中の世界です。誰も一度たりとも繭の外、観点の外に出たことはなく、**ずっと繭の中、観点の中に閉ざされたクローズ状態**です。

ココロ　私は私の脳というVRのヘッドセットを装着して、他の人たちもみんな自分のVRヘッドセットを装着して、立体の仮想空間の中にいるように現実をみている状態なのですね。

それは、人間だけでなく、犬は犬のVRのヘッドセットを装着して、それぞれが違う世界をみているということでしょうか。そうすると、永遠にひとり遊びをしている孤独な状態ということになりますよね?

ノジェス　そうです。自分でつくった繭の中に引きこもっているため、物理的には出会っているように見えても、実際は一度も誰とも出会ったことがありません。繭の中は自分だけの妄想映画なのに「妄想映画＝真実」のように思い込んでいるのです。そしてこの映画は誰にも共有することも、してもらうこともできません。繭の中で生老病死の不安や恐怖に囚われ、何度死んで、何度生まれ変わっても、また同じ繭の中。哲学者ニーチェはこれを永劫回帰《えいごうかいき》と表現しています。

ココロ　「死んでも脳から自由になれない」と言っていたことと、「死んでも繭から自由になれない」というのは同じことですか？

ノジェス　はい。実は、人間が普段「脳」だと思っている頭蓋骨の中の脳は、脳のごく一部です。人間がイメージしたことがない「身体の外の脳」は、肉体が死んでもずっと変わらずに同じ動きをし続け輪廻します。ですから肉体が死んでも、脳の中、繭の中からは1ミリも出られないのです。脳と心を分けられず、「脳のブレーキ」と「心のアクセル」を同時に踏み込むため、思った通りにならない状態で、生老病死を何千回、何万回と繰り返しても永遠に自由になれない。こんなに悲惨で、残酷で、屈辱的な四苦八苦の人間ゲームを繰り返しているのが「**身体の人間の現在地**」なのです。どう頑張っても出会えない「繭の中の人どうしでのチームプレー」が上手くいかないことはわかりますよね。

ココロ　そんな状態だから、それぞれ思い思いの世界にいて共有できないし、わかり合えなかったのですね。でも、その「身体の外にある脳」ってなんでしょうか？

ノジェス　植物で例えると、茎が人間の頭の中の脳みそです。肉体が死んだら脳も死んだと思いますが、植物の茎（頭の中の脳みそ）が死んだだけで、茎の下には根っこがあるからまた生えてきます。その根っこが身体の外の脳というイメージです。

ココロ　雑草をむしっても根があるからまた生えてくるように、人間も身体の外の脳があるから輪廻するということですか。

ノジェス　そうです。そして、一人ひとりが違う繭の中にいるので、共通土台が皆無です。これを共通の心の物差しがないと言います。自分の**繭の中、観点の中は「自分の物差し＝判断基準、観点」で測れる範囲**ですが、それ以外は自分の物差しでは測れません。自分の物差しが1センチ単位の物差しなら、1ミリ単位や1メートル単位のものは測れませんよね。

人間は自分の物差しで測れないことに出会うと、「納得できない」「問題だ」「それは違う。おかしい、信じられない」などと認識してしまいます。また、物差しがまったく同じ人はいないので、似ているところは許容範囲としてＯＫできても、関係を続けるうちに必ず違いがみえてきて、「その考えは許せない」「おかしな人だ」などと判断するようになってしまうのです。

あおい　よく「人は皆違うから、相手の立場に立って考えてみよう」といいますが、実際はできていないということですよね。繭の外に出ないかぎり、自分の物差しを持ったまま「相手の立場に立って考えているつもり」になって妥協しているだけで、結局はわかり合えないものなのですね。

ノジェス　はい。でもそれでは社会が成り立ちません。ですから秩序をつくるためにとった苦肉の策が「我慢」もしくは「暴力や財力などの力の行使」です。偽物の秩序や関係を取り繕うために、我慢して自分を犠牲にしながら演技をするか、もしくは相手を何らかの力で押さえつけて我慢させるかです。もし「私は我慢していない」という人がいたとすれば、恐らく周りの人が我慢して合わせてくれているはずです。

ココロ　どうしていつも我慢しなくちゃいけないのかと思っていましたが、「誰もが自分の繭の中」にいて、持っている物差しも違う状態だから、仕方がなかったのですね。でも我慢するのもさせるのも嫌だし、いったいどうしたらいいのでしょう。

ノジェス　我慢してもさせてもどっちにしても問題ですね。では、観点の問題（WHAT）をまとめてみましょう。

相手の観点を否定すれば相手が怒り、相手の観点を肯定すれば相手に従わなければならないという「**否定と肯定の問題**」。自分の観点を完全だと思えば頑固になり、自分の観点を不完全だと思えば何をしても自信がなくなるという「**完全と不完全の問題**」。人は皆一人ひとり観点が違うから摩擦衝突が終わらない、だけど皆が同じ観点になればロボットのようになってしまうという「**異

〈 人とうまくいかない観点の問題 〉

質と同質の問題」などがあり、どちらに転んでも上手くいきません。

ココロ　これまでは「適当に合わせて、スルーすればいいか」と関係性づくりを諦めていたように思います。でもその場しのぎの作り笑いをするのも疲れてしまって、人に会うのも面倒になってきています。我慢して合わせる以外に、何か方法があるのでしょうか。

ノジェス　もちろんです。シンプルに言うと、**「観点を移動」**するのではなく、**「観点の外、脳の外、繭の外へ出ること」**です。最近は、SDGsなどお互いの個性を多様性として認めようという風潮が高まっていますよね。ですが、いくら表面上は違いを受け入れようと努力しても「観点の外に出ないまま観点の違いを認め合おう」とする観点の移動では無理が生じます。

それでは「ただ我慢しているだけ」なので、結果的に「○○ファースト」などのような多様性を排他する動きにもつながってしまいます。このような観点の問題の根っこには、実は言語の問題があります。ココロさんは百年後の人類がどんな乗り物に乗っているかわかりますか。

ココロ　百年後ですか?未来のことはわからないです。

ノジェス　人間は言語によって認識して存在させています。なので言語で表現できないものに関しては、認識することも、考えることも、イメージすることもできません。つまり**宇宙自然は、感覚の結果物であると同時に、言語の結果物でもある**のです。

ココロ　例えば、原始時代の人に「ロケットで宇宙に行く」と言ってもロケットを理解できる言語がないからわからないように、百年後のことも言語がないからわからないということですか。

ノジェス　はい。私たちが普段使う言語は「日が昇る、朝が来る」など、必ず主語（S）と述語（V）で構成されています。これは**「存在（S）が動く（V）」言語なので、認識技術ではアナログ言語**と言っています。

アナログ言語は、7~5万年前の原始時代の人間が、動物との戦いに勝つために開発した言語です。この言語は動物との戦いには効果的でしたが、デジタル時代の今は新しい言語に変えなければなりません。

ココロ　原始人と同じ言語を使っているなんて、考えたこともなかったです。

ノジェス　アナログ言語は、脳の観点で現象を勝手に切り取り、偽物主体（S）を無数に生み出します。さらに、それらが複雑に絡み合って言語どうしのつながりも見えないため何も整理できません。そのような状態で、名前をつけた無数のパズルの中の1ピースを「身体の自分」だと思い込み、自分と他とのつながりも何もわからずに人生が迷子になるのです。

ココロ　言語に問題があるなんて聞いたこともなかったです。でも「存在が動く」のではないとはどういうことでしょうか。

ノジェス　身体感覚やアナログ言語では「存在が動く」と認識しますが、実はそうではなく**「源泉の心の動きが存在させている」**のです。源泉の心の動きを言語化して日常で使えるようになれば、依存を卒業して真の尊厳や自由が得られ、自ら主体性や自発性、能動性を活かして、楽しい人生を過ごすことができるようになります。

この**「動きが存在させる言語」をデジタル言語**といいます。脳と心を分離、分解、蒸留した純度１００％の心である「源泉の心の動き」によって、時間、空間、存在、エネルギーなど多様な存在が生じる。つまり、動きの本物主体は1つしかないということです。

この本物主体は、純度１００％の心（ディープマインド）であり、最も速いスピードです。

何にも依存せずに存在して動く「感覚の外、観点の外、言語の外、脳の外、繭の外」であり、宇宙自然を成り立たせている「**宇宙の外のオープン世界**」でもあります。また人間のあらゆる概念が生まれる前の「概念の外」でもあります。**この世界では、脳も観点も感覚も言語もイメージ概念も一切働きません。**

ココロ　どうしても私やまわりのものが存在していて、それが動いているように見えてしまいますが、「存在が動く」のではなく、「源泉の心の動きが存在させている」ということなのですね。

ノジェス　目で見れば、存在が動いているように見えますよね。まさしくそれが、脳による「観察エラー状態」です。

純度１００％の源泉の心は最速の動きでありながら、ものすごくシンプルです。脳機能は相対世界しか認識できないという限界があります。**源泉の心の動きは、脳では「認識することも、イメージすることも、感じることもできない」心そのものの絶対世界**です。脳と心を分けて純度１００％の心になることは、身体の自分という偽物の自分のイメージが死んで、本物主体、本物の自分として誕生するということです。

これが**生きたまま死ぬ「完全死」**です。**完全に死ぬから完全に生きる道が得られる**のです。

生老病死を超えて主体性、自発性、能動性、自由意志が発揮できなければ、自分の人生とは言えません。でも生老病死が実在しないことを明確に認識すれば、逆に生老病死をゲーム感覚で楽しむことができます。

ココロ　生きたまま死ぬ、完全死ですか…。死と言われると怖いイメージがありますが、先ほどのシレノスが「早く死ぬことがいい」「生まれないことだ」と言っていたのは肉体の死ではなく、本物主体として生まれ変わるという意味だったのですね。まだよくわかっていませんが、少し安心しました。

ノジェス　科学技術を始めとする全ての学問は、「感覚と言語の結果物＝宇宙自然」だと知らないま、そのクローズ空間の中で「宇宙の始まりや終わりは何か」「点とは何か」などを懸命に探究しています。でもこのアプローチではうまくいきません。宇宙というクローズ空間の中を知るためには、それをつくり出している宇宙の外、感覚の外、言語の外、観点の外に出て、犯人捜しをしなければならないからです。

あおい　今までの教育は本当に限界ということですね。これまでの人間の知は不完全なのに、その知識で武装して誰もが争ってしまう。地球温暖化問題にしても「嘘だ」「いや本当だ」と争っているのを見ますが、情報やデータを都合よく切り取って論争しているので「お互いの観点どうしの争い」なのだと思いました。

そうではなく、観点の外から観ることが大事ですね。

ノジェス　人間は教育によって価値基準が形成されます。教育を通して日本人やアメリカ人、韓国人になり、その環境でつくられた観点どうしが衝突してしまうのです。さらに人間は、知ってしまった世界から自由になることができません。

これからの教育は「知識の積み上げ」だけではなく、時間、空間、存在、エネルギーが一切存在しない本物のゼロベース思考（無概念出発思考）、知識をゼロ化する消しゴム機能が必要です。**教育を通して知っている世界をオールゼロ化して、知っている世界から解放し、無概念から出発すること。**全ての答えをわかっている目的知・完全知が、世界のスタンダード教育、世界基軸教育になれば、観点から自由になり、これまでのあらゆる関係性がまったく変わります。

ココロ　私も知識を積み上げることに重点を置いた教育を受けてきましたが、それとは真逆の「知識をゼロ化する」という教育は、すっきりシンプルな思考になれそうなので、とても気になります。それに、「自分とは」「人間とは何か」など、本質的で自分とつながったものなら、おもしろく学べそうです。

現実の中に意味や価値はない

ココロ　それと、本当に身体の自分がゲームのキャラクターのように命令に従うだけの存在なら、どうして誰もこの状態に気づかずに操作されっぱなしだったのかも気になります。

ノジェス　はい。では観点の問題（HOW）の話をする前に、「これまでの人間が現実をどのように捉えていたのか」についてお話ししましょう。

従来の現実の捉え方は大きく2つあります。**五感の限界に気づいて「現実とは何か」を追究するグループ**と、**「考えても無駄だ」と現実に妥協するグループ**です。

ココロ　その2つに分けるなら、私は後者ですね。

ノジェス　ココロさんは、「宇宙論」や「人生論」を知っていますか。簡単に言えば、宇宙論は「現実がどこから、どのような仕組みで誕生するようになったのか」「なぜこのような姿かたち（色、模様、形）をしているのか」であり、人生論は「ここからどこに向かっていくのか」です。

童謡の『いぬのおまわりさん』の歌詞に、「おうちをきいてもわからない。なまえをきいてもわからない」とあります。それを人間の現在地に当てはめてみると、おうちは始まり（α）と終わり（ω）、名前は現実の用途、機能、目的に該当します。
では、私たちはどこからきて、なぜ現実を生きるようになったと思いますか？

ココロ　わからないです。私は本当に人生の迷子だったんですね。

ノジェス　現実をつくった犯人が「1分1秒でも長く生きろ」と人類に命令し、人類は犯人に初期設定されたままの機械的条件反射で命令に従って生きるしかない状態です。

ココロ　犯人はなぜ、そのような命令をしたのでしょうか？この現実を「ゲーム」に置き換えてみると、もしかしたら犯人には「やりたいゲーム」があったのかもしれないですね。
それで多様な人間キャラクターと、その舞台になるゲームストーリーを用意して、ゲームに登場させたとか。

ノジェス　いい推理ですね。この現実は「人間たちよ、生存能力を強化して1分1秒でも長く生きろ」という犯人の意志（ｏｆ）が強く働いています。ただその犯人の真意をアバター（身体の人間）に悟られては困るので、コッソリと綿密な仕掛け（メカニズム：ｂｙ）を設定したのです。
もしココロさんがＲＰＧゲームを楽しんでいる最中に、突然ゲーム内のキャラクターが「なんで勝手に操られているんだ？」と疑問を感じて好き勝手な動きを始めたら困りますよね。

ココロ　それは困ります。「この世界はしょせんゲームだから」とキャラクターたちがゲームのルールを無視したら、ゲームが成立しなくなってしまいます。

ノジェス　アバターに疑問を持たれたら犯人は困ります。ですから脳の中の人間には強烈な生存意志があり、生存能力の強化を盲目的に無条件で選択するような生存本能が備わっているのです。衣食住はもちろんのこと、物理的な危険から身を守ろうとしたり、生存を脅かす危険信号を避けたりしますよね。他にも不安や緊張を感じたり、存在を否定されることを払拭したくなるのはそのためです。

そのうえで人間は、「何のために自分の命を使うべきか」と存在目的（ｆｏｒ）を探し、その目的に従って人生に意味や価値、生きがいを見出そうとします。ですが、現実の中には目的（ｆｏｒ）や意味は何ひとつありません。この現実は命令（メカニズム：ｂｙ）が作動した結果に過ぎないのです。ですからその仕組み（ｂｙ）を知ることが重要です。

人生論は目的（ｆｏｒ）に当たります。人間は宇宙論（ｏｆ・ｂｙ）を知らずに人生論（目的：ｆｏｒ）に走りますが、本当は仕組み（ｂｙ）がわからなければ目的（ｆｏｒ）が定まらないのです。

ココロ　人間に強烈な生存意志があるのは、そのように初期設定されているからなのですね。でもこんなに必死に現実を生きているのに、「現実の中に目的や意味はひとつもない」と言われてしまったら、ますます何のために生きるのかわからなくなってしまいます。

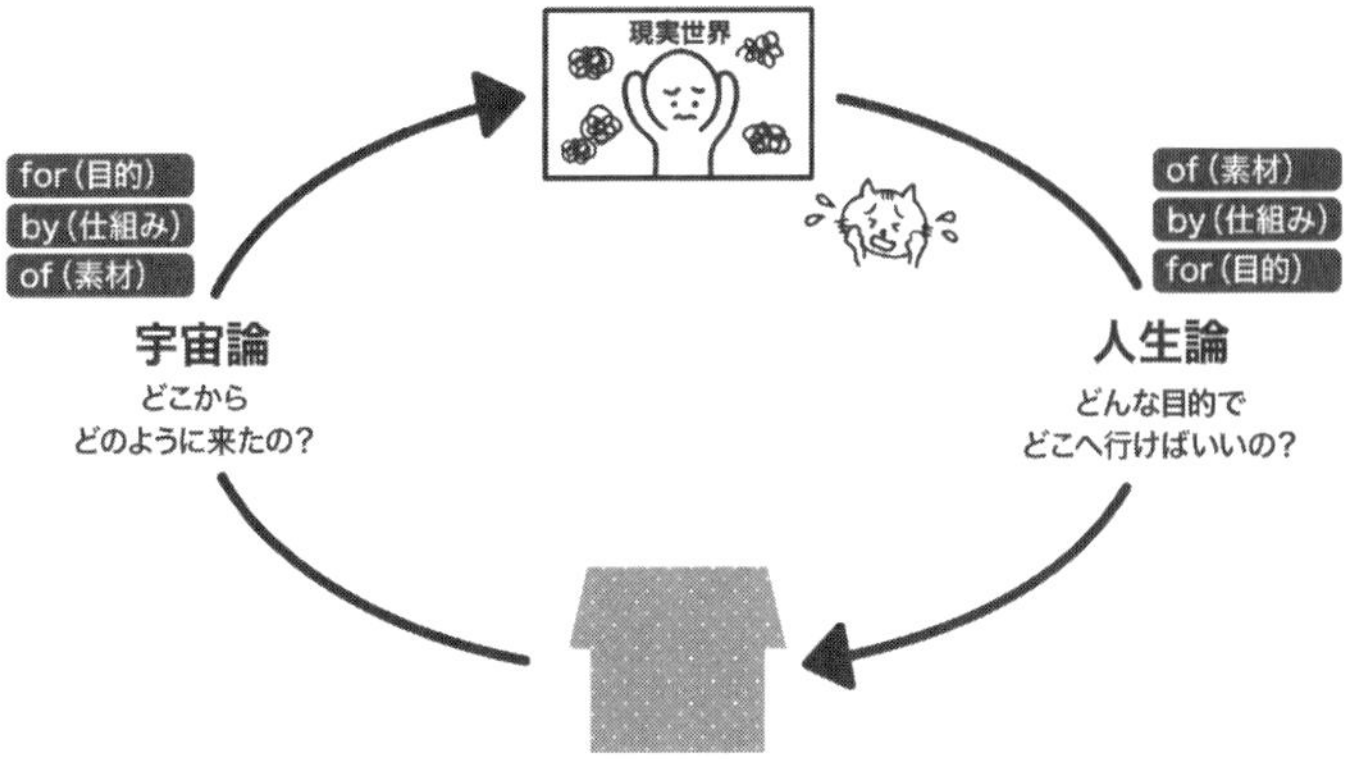

〈 宇宙論と人生論でみる人間の現在地 〉

ノジェス　ココロさんは、ココロコロと変わってしまうものを信頼できますか？

ココロ　いえ、できません。言うことが変わる移り気な人にはイライラします。自分自身も気分が安定しなくて決めたことを変えてしまうので、そんな自分が嫌になります。

ノジェス　人間は目まぐるしい環境の変化に合わせて変わらなければなりません。そのため、持続性、一貫性、客観性がなくなってしまい、その自分に対して悩むようになります。ですから大方は無意識に慢性的な不信や不安があり、ひどい場合は恐怖さえ感じます。

そこで「これでは嫌だ。もっと主体性、自発性、能動性、自由意志、主導権を発揮して生きたい」と思う人たちが生まれます。それが「現実とは何か」を探り、初期設定された**現実から自由になろうと尽力した「宗教、**

哲学、芸術、数学、科学」のグループです。

ココロ　五感の限界に気づいて「現実とは何か」を追究したグループが、宗教、哲学、芸術、数学、科学…、一見すると共通点がないように思いますが。

ノジェス　このグループの共通点は、現実に限界を感じて「**現実を否定**」したことです。

あおい　素朴な疑問なのですが、天動説の時代に地動説を唱えた人を異端扱いし、火刑や投獄をした宗教が、地動説が常識になった現代でも続いているのはなぜなのでしょうか。

ノジェス　まず現代は、政治、経済、教育、倫理、道徳など、本質より現実を重視する社会ですから、本質的な思考体系の追究は個人任せになっています。

生きる中で問題や限界と出会い、それをきっかけに本質的な問いを持って追究をする過程で宗教と出会う場合が多いでしょう。個人と宗教の追究内容を比較すれば、宗教の教理は歴史をかけて多くの人が切磋琢磨して追究した蓄積が受け継がれています。その教理よりも、一個人の人生で追究したことが勝ることはそうありませんから、個人が宗教の教理に傾倒し、心の拠り所にすることは不思議なことではありません。

また、時代は変わっても「私はどうすれば良いのか」と人生に悩み苦しむよう初期設定されているのが人間であることに変わりないので、「最も意味や価値がある真実の人生はこれだ」と答えを

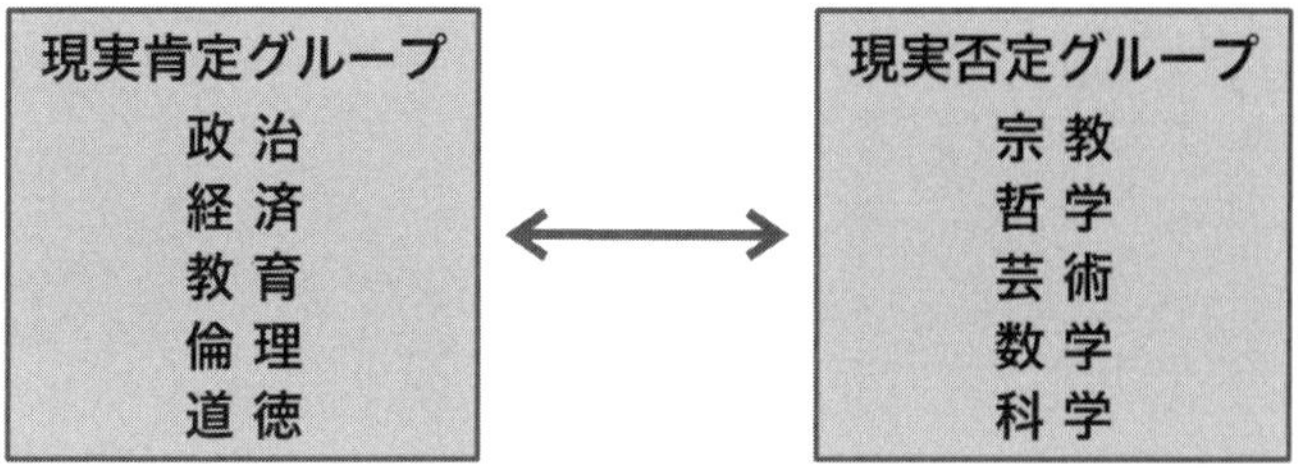

示されれば、関心を持つのは自然なことです。その上で、宗教は信仰を土台としていますから、「神の啓示は人知を超える絶対的なもの。だから無条件に信じるべき」と信仰を促して現実を否定し、「神への不信は何よりも罪が重い」と神への絶対的信頼を育み、教理を肯定するようにしていくのが宗教の特徴とも言えます。

あおい　わからないことやイメージできないことを考えると脳が疲れますが、そんなふうに悩んでいるときに「これが答えだ」と示されたら頼りたくなる気持ちはわかります。ただ、「これを信仰さえすれば何をしても大丈夫に違いない」と、依存状態になってしまうこともありそうですが。

ノジェス　何かに依存して、用意された人生を、ただ生きるように初期設定されているのが人間ですから、そうなるのは当然です。教理などに依存し「知っている世界」につかまれてしまうと、その「教理」という観点の価値観を絶対視してしまい、そこから自由になれずに「クローズ思考」になってしまいます。

ココロ　今でもクローズ思考だと思っているので、さらに狭い思考になるのは避けたいです。

ノジェス　でも観点につかまれるのも、信仰するのも仕組みは同じです。「目的知、完全知」に至っていなければ、教理を絶対視する可能性は誰にでもあります。そもそも誰もが「人間教」「自分教」を信仰していますし、「自分は生きている」「男だ」「女だ」なども脳の観点につかまれ信仰しているのと変わりません。

あおい　自分教ですか。確かに、観点の外、脳の外に出ない限り、自分の考えから自由になれないから、そういうことになりますよね。では、哲学はどのように現実を否定したのでしょうか。

ノジェス　古代哲学者ソクラテスの問答法は有名ですよね。彼は問答を通して相手の無知を自覚させていきました。自分の知、信仰、行動、望むことなどが、どれほど根拠のない偏見に満ちたものなのか、どれほど自分勝手で、独断的で、無知だったのかを問答で気づかせ、相手の執着、愛着、信念、確信を破壊していったのです。

あおい　問答法では、回答に詰まったら認めるしかなくなりそうですね。

ノジェス　哲学は人間の五感の限界、人間の無知を認識していました。例えば、カントは「人間は本当の世界を見ることはできない」と言いました。青いレンズで見れば世界は青く染まるように、人間は初期設定された五感を通して世界を認識するので、どう頑張っても「物自体」には行きつけないと言ったのです。またウィトゲンシュタインは、「語り得ぬものについては沈黙しなければならない」と言語の限界を主張しています。

このように哲学は、人間の限界を認めた上で、答えを探す道を歩むように誘導しました。つまり哲学の仕事は、人間が知っていること（Ｋｎｏｗ）、行動していること（Ｄｏ）、希望していること（Ｈｏｐｅ）、信じていること（Ｂｅｌｉｅｖｅ）を破壊することだと言えます。そうして「身体の自分でできることは何ひとつない」という奴隷的で受動的な人生に気づかせ、主体性や能動性、自分の意志が働く人生になるように促したのです。

あおい　宗教は「これが答えだ」と示し、その道を歩むように説きますが、哲学は宗教のように「これが人間の生きる道だ」と何か答えを示したのでしょうか。

ノジェス　いえ、哲学は答えを出さず「自分で探すべきだ」と言って終わりです。哲学からみたら、どんな知識も相対的で主観的。どれも多くの中のひとつに過ぎないという知の限界がわかっていたので、「これが答えだ」とは言えないのです。

あおい　とすると、永遠に答えを探し続けることになりそうな気がします。

ノジェス　なので哲学は、初期設定からの脱皮を意識的に促し、愛着、執着、信念、確信などを潰し続けて、終わりのない否定の連続をしていきます。

人間は愛着や執着があれば、信念や確信が生まれます。でも、どんな知識も相対的で正しいものはひとつもない。だから特定の知識に留まらないよう、次から次へと疑って否定し続けます。これまでの信念や確信を否定しなければ、新しい世界を受け入れられないですからね。

あおい　今までを否定して新しい世界を受け入れることは、進化発展の基本だと思いますが、確固たる答えがないまま否定し続けるだけでは生きる軸が定まらなくなって、思考の旅を延々と彷徨う感じですね。

ノジエス　そうなってしまいますね。では、他の現実否定もみてみましょう。科学は、「五感はありのままを捉えられない」と気づき、五感の拡張によって現実から自由解放する道を模索しました。マクロとミクロをつないだ論理体系（体系的秩序）を構築するために電子顕微鏡やハッブル宇宙望遠鏡などを開発したり、力の概念という経験によらない概念知識を生み出すこともしました。また数学は、微分や積分を通して体系的理解を追究し、真理を探究しています。芸術は、現実の限界を感覚的に感じ取り、音楽言語や絵の言語などを道具にしながら、五感や因果論理からの解放と癒しを試みています。

このように宗教、哲学、芸術、数学、科学の各々は、初期設定から自由になりたい意志によって、現実を否定しながら独自の論理や思惟を編み出したのです。

では次に、現実を肯定したグループについて考えてみましょう。

このグループは、身体に便利な生活秩序を構築し、互いに迷惑をかけずに仲の良い関係を築いて幸せな人生を送ればいいのではないかと現実を肯定しました。ですから「現実がどこからきて、どこへいくのか」という宇宙論や人生論は横に置き、五感で認識できない世界は相手にしません。このグループには政治、経済、教育、倫理、道徳があり、これらのベースにはお金の論理があります。

あおい　現実をなおざりにし、宇宙論や人生論など簡単に答えが出ないことを追究して答え探しに走れば、生存競争に敗けてしまうかもしれない。それより衣食住や仕事、お金、人間関係など、目先の現実に対応しながら幸せになればいいということでしょうか。だとすると、このグループは先ほどの「瓶が砂でいっぱいの状態」と同じような気がします。

ノジエス　現実否定側は巨大なダイヤを探し続け、肯定側は砂で瓶を満たしてしまう。どちらもそれぞれのやり方で力を尽くしましたが、いずれも結果は失敗です。それが故に今は誰もが、我慢して合わせて演じるという、窮屈で悲惨な現実が目の前に広がっているのです。

そこに追い打ちをかけるように量子力学やＡＩが登場したことで、これまでの基準点はことごとく破壊され、生きる方向性も完全に喪失し、まさに八方塞がりです。

ココロ　「ここから自由になりたい」と現実否定をしても、「現状と妥協してでも幸せになるぞ」と現実を肯定して努力しても、どちらも裏目に出てさらに苦しくなるなんて…。失敗に終わったのはなぜですか？

ノジェス　観点の問題の根っこには「言語の問題」があると言いましたが、**現実肯定も否定も失敗した原因はアナログ言語**です。これまでのアナログ言語は「存在がある」ことを大前提とし、現実の中の存在がどうなっているのかという現象や因果しか語れません。

本当は「存在の本質」を解明したいのに、アナログ言語で語ることができるのは犯人によってつくられた結果物である「決定し固定された存在が、どのように変化や運動をするのか」だけです。

ココロ　アナログ言語は繭の中の現象を語る言語だから「どこから来て、どこへ行くのかは語れない」という根本的な問題を見落としたまま、人類は頑張ってきたのですか。言語という道具が間違っていたとは盲点でした。

ノジェス　はい。存在の本質や仕組み、本物主体を知るためには、偽物の主語と偽物の述語で延々と語るアナログ言語ではない、全く新しい言語が必要になります。そこで開発したのが「動きが存在させる」ことを語るデジタル言語です。

問題意識の深さで生き方が決まる

あおい　世の大半は現実肯定派だと思いますが、今は倫理観が問われる社会になりつつある気がします。これまでになかったような良心やモラルを欠く事件が、世界や日本でも相次いでいて心配になります。

ノジェス　そうですね。ＡＩまで登場して人間の存在意義すら脅かされる時代ですから、より生存競争が激化して誰もが生き残りに必死です。五感を疑わない現実肯定派は、科学精神にも哲学精神にも至っていないので、基準点が古代や中世と同じままとも言えます。つまり時代精神に逆行した生き方をしているのです。

ココロ　時代精神に逆行するとはどういうことですか？

ノジェス　ココロさんは、環境や、宇宙自然、歴史文明、時代の流れなどを味方につけていますか。味方にすれば人生の追い風となってくれますが、時代精神に反すれば味方どころか向かい風となり、生きづらさが増してしまいます。

ココロ　そこまで幅広い視野で考えたことがなかったですが、環境を味方にできたら心強いです。

「時代精神がわからない＝生き辛い」となるのですね。

ノジェス　人間の生き方を三通りに分けると、99％の人は第一の道で、現実を受け入れて生存競争に勝とうとします。残り0.9％の人が選択する第二の道は、倫理道徳を優先して共同体の秩序をより良く改編しながら、誰もが幸せ、成功できるように努めます。

第三の道は、現時点では0.1％にも満たない勇気あるパイオニアだけが選択できる道です。現実の中、脳の中だけに留まる第一、第二の道の限界を悟り、現実の外に目を向けて犯人捜しにチャレンジする。そして見事、犯人を捜し出し、犯人を制圧して真の尊厳と真の自由を得て、人類全体のゲームプレートをチェンジする。その人類全体の底上げに挑戦することが第三の道です。私はこの道を案内しています。時代精神はこの第三の道を人類に要求しているのです。

かつて人類は自らを賢い人間、ホモ・サピエンスと名付け、「我々は動物ではない」と人間宣言をしました。そのように、今は第二の人間宣言をすること。それが「ホモ・ゼウス宣言」です。

ココロ　ホモ・ゼウスですか？少し前に話題になった本で『ホモ・デウス』というのがありましたが。

ノジェス　はい、ホモ・デウスは不老不死、至福、力などを得た神的存在のことです。

一方のホモ・ゼウスは、不生不滅で神を超えた存在、神をも道具に使う新人類のことで、私が名付けました。生きろと命令された現実世界には、必ず生と死が存在します。ですが、現実から自由になってみたら、生も死もない第三の道があるのです。

純度１００％の心は、生きてみる、死んでみる、食べてみる、聞いてみるなど、「みる」ことを楽しむ本物主体です。**生も死もないことがわかるから、生も死もでき、生も死も自由に楽しむ心の道がある**のです。

ココロ　神を超えた存在ですか…。第三の道はイメージの範囲外でまったく想像できませんが、感覚や言語に限界があることは少しずつ理解してきたので、現実の中、繭の中だけに留まる第一、第二の道は卒業したいと思います。ところで、ノ先生はどうして犯人捜しに成功して観点の問題を超えられたのですか。宗教、哲学、芸術、数学、科学などが努力しても超えられなかったのに、それらと何がどう違うのか気になります。

ノジェス　その話は観点の問題のＨＯＷ（どの程度の深さの問題意識を持つのか）に当たります。

大前提として、人間は現在地によって質問の持ち方、つまり問題意識の深さが変わります。

問題意識はＡ～Ｅの5段階で表現でき、段階ごとに深くなるので、自分がどこに当てはまるのかを考えながら聞いてみてください。

Aは「妄想の中の問題意識」です。思い込みが行き過ぎて妄想の中で生きています。

羞恥心や劣等感、罪悪感、被害妄想などが暴走し、注意力も散漫になり、五感も鈍ります。妄想

〈Ａ：妄想の中の問題意識〉

の中の苦しみからの解放を願うばかりの他力本願で、それ以外の問題意識は持てません。

Bは「思い込みの中の問題意識」です。Aの妄想よりはましですが、思い込みの中にいます。事実なのか、自分の思い込みなのかの区別がつかず、考えや感情がコントロールできません。いつも他人の目線や言動が気になり相対比較に忙しく、相手にどう思われるか、正しい・正しくない、好き・嫌いなどを重要視するため、問題意識の範囲が個人事に留まります。

ココロ　私はAやBに当てはまる気がします。周りもそういう人が多いように感じますが、そうなっていることに気づくことも難しいと思います。

ノジェス　そうですね。AやBの状態の人は、脳の中、思い込みの中、妄想の中というように、どんどん狭い世界に入って自分で自分の首を絞めてしまいますが、それにも気づかずに苦しんでいます。この段階の人たちが溢れる社会の海になれば、感情が

〈B：思い込みの中の問題意識〉

伝染して更なる増殖は免れません。では続いてCです。

Cは「自分・人間・存在はどこからきて、どこへいくのか」という問題意識です。哲学者、科学者、数学者などを含めたほとんどの人がCの段階です。脳の中、観点の中とは知らずに「身体が自分」だと思い込み、「私はどこからきて、どこへいくのだろう？」「存在はどこからきて、どこへいくのだろう？」と、現象界の部分的な存在にフォーカスした質問を投げ、その答えを探究します。

ですが、観点の中でアナログ言語を道具にして、偽物主語と偽物述語をたくさん生み出しながら思考するので、犯人捜しは失敗してしまいます。

ココロ　部分的な存在にフォーカスしてしまうから正しい質問が持てない。だから得たい答えが得られないんですね。答えが出なければ追究を諦めて、現実に妥協したくなりますが、それでも追究し続ける科学者や数学者の情熱はすごいと思います。

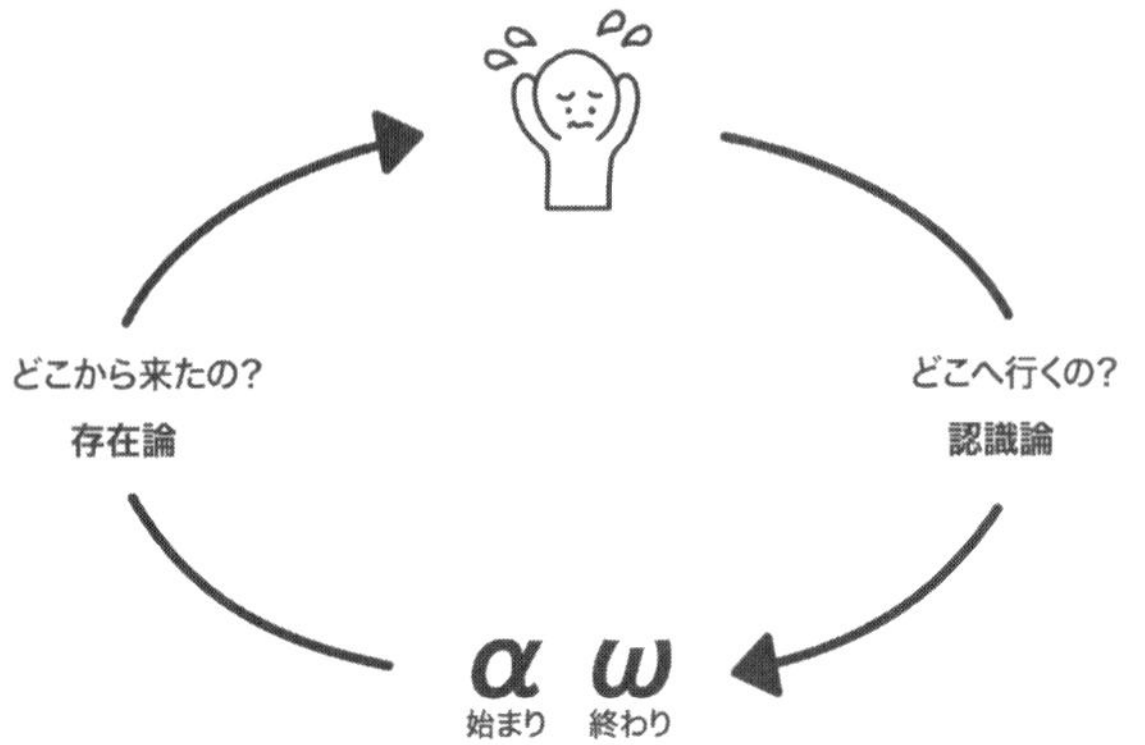

〈C：自分・人間・存在はどこからきて、どこへいくのか〉

ノジェス　ところでココロさんは「山があるから山を見ている」と思いますか、それとも「今ここ、ココロさんが見ている山」だと思いますか？

ココロ　ここまで聞いた理解で考えると、「感覚の結果物が存在」なので、後者ということですよね？

ノジェス　「山があるから山を見る、海があるから海を見る」のは、環境が先にあって後から自分が生まれたという「**存在論**」です。

一方、「今ここ、ココロさんが見ている山」は、「今ここ自分が見ている山、今ここAさんが見ている山、今ここBさんが見ている山」というように、今ここで皆が違う山として認識して見ている、今ここ生まれる山なので「**認識論**」になります。

では、この存在論と認識論は、どうしたら統一できると思いますか。

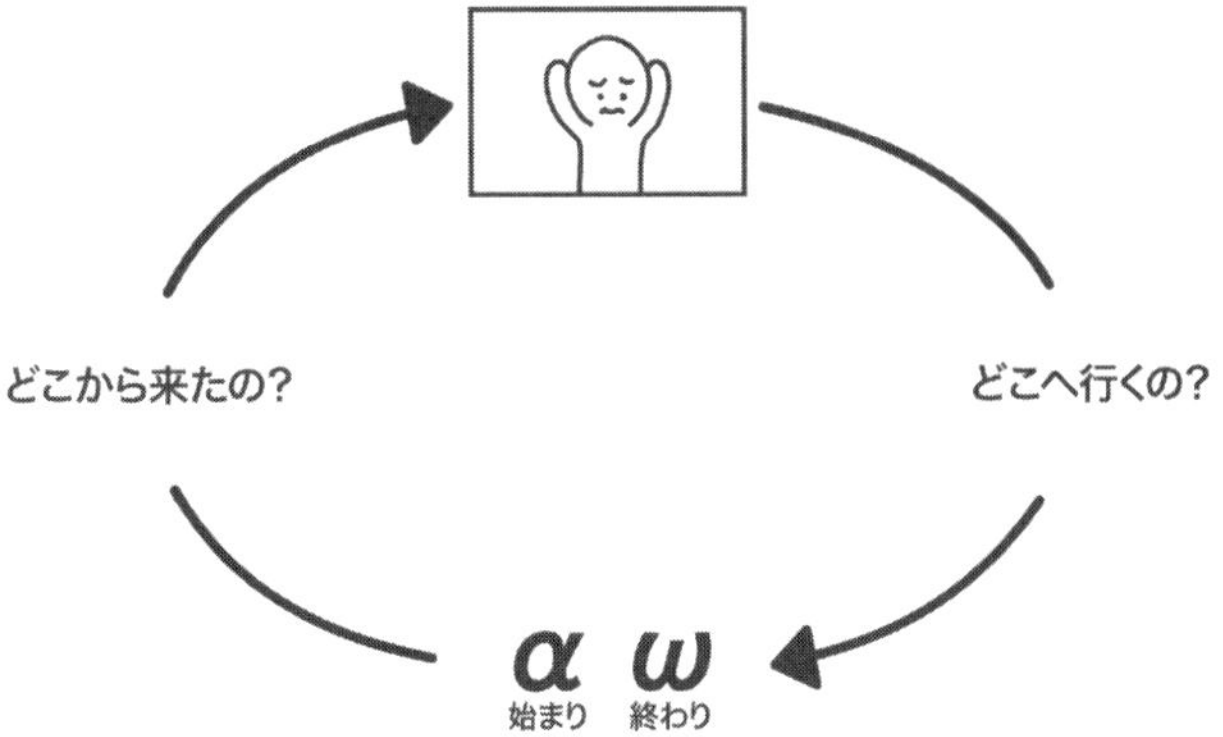

〈D：ワンネスの自分（自分と自分の宇宙）はどこからきて、どこへいくのか〉

ココロ　それはわからないです。つなげるにはどうすればいいのでしょう。

ノジェス　難しいですよね。哲学者、科学者、数学者などほとんどがC段階だといいましたが、C段階では統一できません。また次のD段階はワンネスになりますがこれでもできません。

Cは物質の宇宙の存在論、Dは意識の宇宙の認識論ですが、この存在論と認識論を唯一、統一できるのがE段階の問題意識です。

この存在論と認識論を統一できないことは西洋哲学や宗教を始めとするこれまでの人間の知識の限界といえます。

私に生きるように命令していた犯人

あおい　存在論と認識論を統一するとは、これまでの「知をすべて統合する」イメージですよね。認識技術ではそれを統一できるから、第三の道の生き方を案内できるということでしょうか。

ノジェス　はい、「自分はどこから来て、どこに行くのだろう」と考えるとき、「自分」や「存在」という部分にフォーカスしていては、答えに辿り着けないことはわかりました。ではこの先はどうすればいいでしょう。

それは**「現実＝観点・感覚・言語の結果物」であるとわかること**です。すると「現実＝自分の意識の宇宙（ワンネス）」になります。つまりＤの質問は、「ワンネスの自分（自分と自分の宇宙）はどこからきて、どこへいくのか」となります。

ココロ　目の前に見える現実と自分がつながった意識の宇宙になったからワンネスというのですか。

ノジェス　はい。しかしワンネスのままでは、Ｅ段階の質問にいけません。そこで認識技術ではワンネスをひとつの箱（フレーム）に収め、「この箱はどこから来て、どこへ行くのか」という質問に置き換えることで、Ｅ段階の質問への足掛かりにしました。

人間と人間の見ている世界をひとつの箱に入れたとき、「この箱はどこから来て、どこへ行くのか」という質問に対する答えが直感的にイメージしやすくなる概念があります。それが「宇宙コンピューター（Personal Universe：パーソナルユニバース）」です。

ココロ　初めて聞きましたが、なんだかすごそうです。

ノジェス　**宇宙コンピューターの概念を取り入れて「スクリーン（モニターの出力画面）＝現実」と**両者をオーバーラップさせるとイメージがしやすくなります。ここからは、モニターの出力画面を「映像スクリーン」と呼ぶことにしましょう。

Cの段階は、スクリーンの画面に表示された一部分（現象の部分像）を「自分」や「自分以外」だと思い、その画面を出発点（原因）にして存在を理解しようとしました。

次のDの段階は、「スクリーン画面＝現象の全体像」だと勘違いしやすいですが、実はこれも現象の一部分（拡張現象の部分像）にすぎません。

つまりどちらも「現象の全体像を捉えていない」から究極の問題発見に至らないのです。

ココロ　コンピューターに当てはめてみると、現実は映像スクリーンのように出力された「結果」なので、「スクリーンを出力する原因があるはずだ」と、次の質問が出てくるのですね。

ノジェス　そうです。そこで次のE段階の質問が、「スクリーンはどこからきて、どこへいくのか」にな

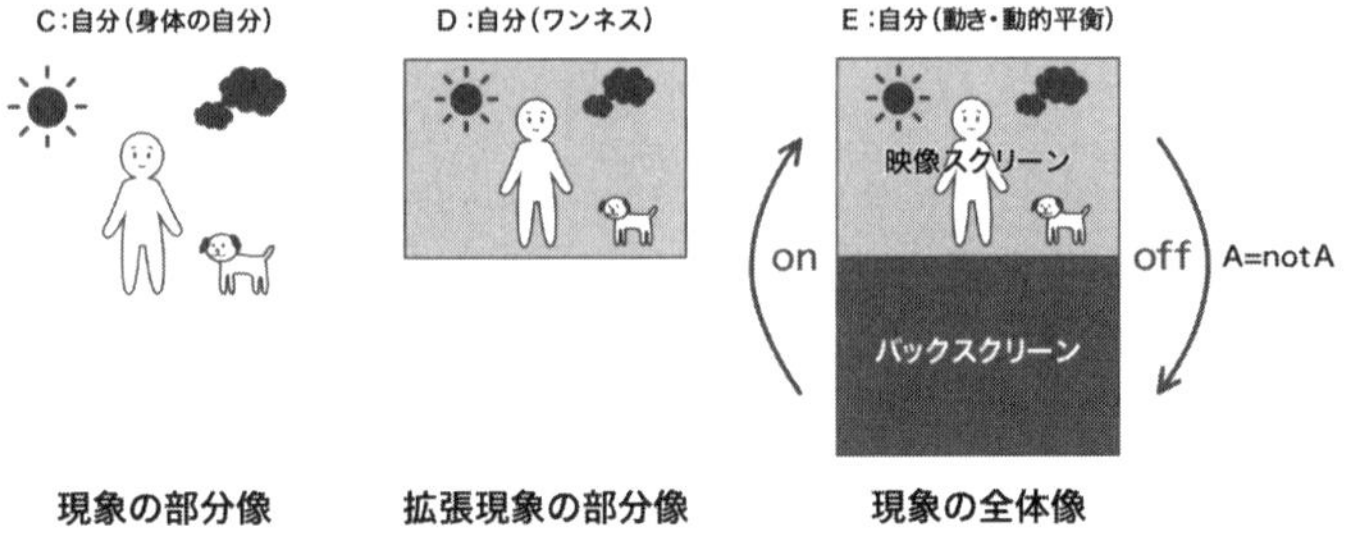

〈アナログ現実感覚をPUスクリーンデジタル感覚に変える〉

るのです。ココロさんはこの質問に何と答えますか。

ココロ　電源が入っていれば映像スクリーンは表示されますよね…。

ノジェス　はい、電源をオンにすれば映像スクリーンが表示され、オフにすれば真っ暗な画面になる。このオンオフによって映像が生まれたり消えたりします。電源が入る前の真っ暗な画面を、ひとまず「バックスクリーン」と呼びましょう。実はバックスクリーンは3段階ありますが、それについては改めて触れますね。

ところで「電源オンのスマートフォンは大事、だけど何も映ってないオフ状態のスマートフォンは価値がないから捨てる」とはならないですよね。

ココロ　もちろんです。電源オンでもオフでも、同じスマートフォンには変わりがないので、オフでも捨てたりしません。

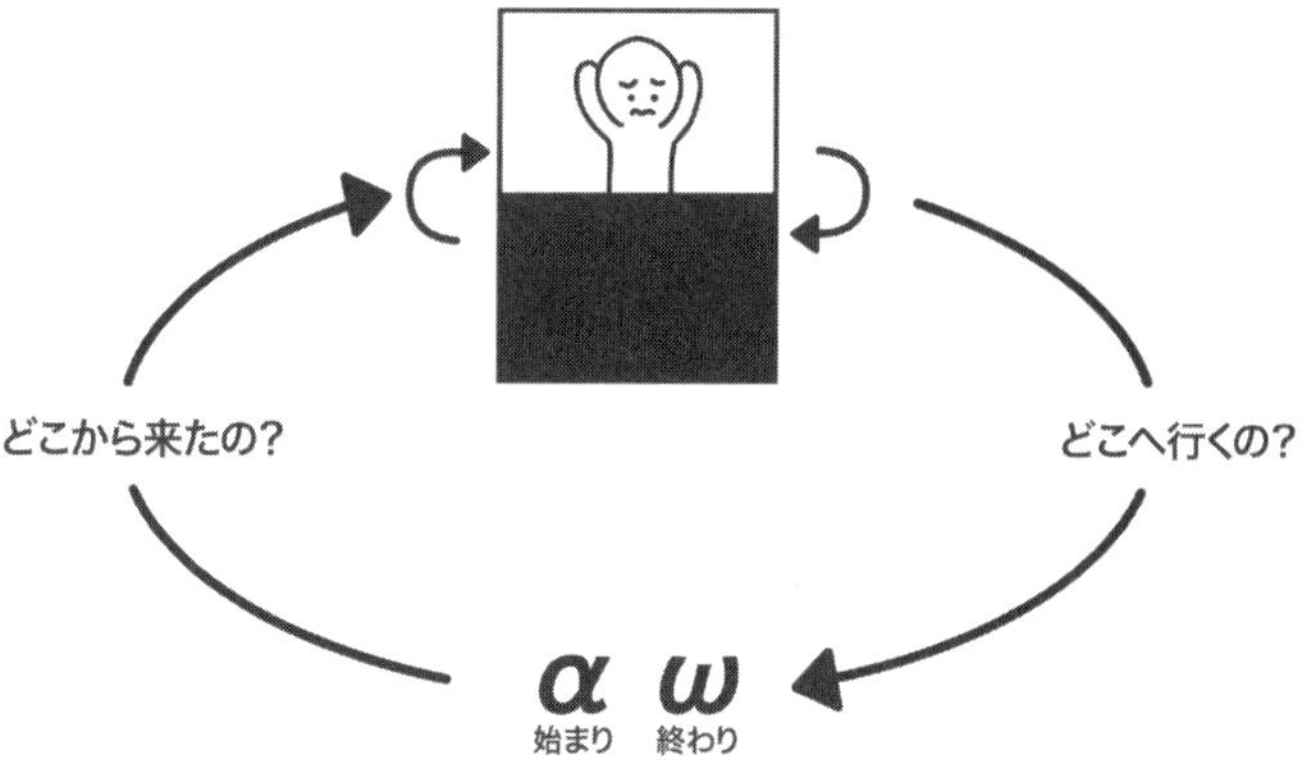

〈E：スクリーンの動き（現象の全体像）はどこからきて、どこへいくのか〉

ノジェス　そうですよね。現実もスマートフォンと同じように考えると、**「映像スクリーン（電源オン）＝バックスクリーン（電源オフ）」**になるのですが、人間はこれまで**「映像スクリーン＝現実＝宇宙の中」**が全体像だと勘違いをして、この世界に価値を置き、そこだけに関心を示してきました。ですが五感や脳で知覚できないだけで、今ここも宇宙がない状態のバックスクリーンが働いているのです。

ココロ　バックスクリーンは、電源オフのスマートフォンと同じ。なのに見えないから価値がないと思って、私たちは電源オフのスマートフォンを無視するような行為をしていたのですね。

ノジェス　アナログ言語は、AはA、BはBと物事の表面だけを捉え、それぞれがバラバラに存在していると認識し、それぞれの関係性がわかりません。でも現実でいえば、A（映像スクリーン）にはｎｏｔA（バックスクリーン）が必ず隠れていて、この関係が「A＝ｎｏｔA」となります。Aの裏にはｎｏｔAがあって、AとｎｏｔAを成り立たせるBがあり、Bの裏にはｎｏｔBがあって、BとｎｏｔBを成り立たせるCがあり…というように全ては連携し連動しています。これを認識する道具がデジタル言語です。

ココロ　スマートフォンも画面に映像が映ったり映らなかったりするけど、どっちの状態も同じスマートフォンであるということを、「A＝ｎｏｔA」と言い表せるということでしょうか。

ノジェス　そうですね。電源をオンオフすることで画面が有ったり無かったりする動きがありますから、ひとまずそれをデジタルの動きのイメージとして捉えてみてください。スマートフォンは電源をオンすればスクリーン画面が表示（有）され、オフすればバックスクリーン（無）になります。現実でも同じで、ココロさんが右を見れば、スイッチが入って右の画面が生まれ、同時にそれまでの画面は消えます。また左を見れば、スイッチが入って左の画面が生まれるというように、コロコロと画面が変わります。では、映像スクリーンを出力するには電源のオンオフだけで充分でしょうか。

ココロ　スマートフォンなら内部に電子回路やアプリなどがあるはずです。

ノジェス　はい、同様に映像スクリーンにも、それを生み出す裏の仕組み（メカニズム、アルゴリズム：ｂｙ）が隠れています。スマートフォンなら、プログラミング言語や半導体チップがあり、そのチップ内を流れる電流があり、さらに電流を生み出す発電所があり、その発電所の外には縦横無尽に飛び交う大自由な電気があります。

スマートフォンの画面には映像や音など多様なものが表示され、その画面も固定せず常に変わります。でもその複雑なスマートフォンの画面の全ては、電流ひとつから成り立っています。

現実（映像スクリーン）も同じように、多種多様な色、模様、形をした存在があり、一瞬たりとも同じ姿形はなく複雑です。でも**その全てはシンプルな源泉の心の動き、純度１００％の心（本物主体）だけで成り立っている**のです。純度１００％の心は、ＡでもｎｏｔＡでもなく、ＡもｎｏｔＡも生み出す正真正銘の源泉です。

ココロ　スマートフォンの仕組みと照らし合わせると、宇宙コンピューターのイメージが少し理解しやすいです。今見えている現実は、巨大な立体映像として目の前に映し出されているとしたら、映し出されるまでの過程が何段階もあるということですよね？

ノジェス　はい。犯人（本物主体：ｏｆ）の命令によって、エネルギーの動き（メカニズム、アルゴリズム、プログラミング：ｂｙ）が生まれ、エネルギーの動きによって物質や存在、つまり映像スクリーンが生まれるのです。五感や脳では知覚できませんが、実は映像スクリーンとバックスクリーンは1秒間で10の５００乗回というとてつもない回数の振動を繰り返しています。つまり映像スクリーン（宇宙）が有る、無い、有る、無い……と、**宇宙は超スピードで有ったり無かったりしている**のです。

この映像スクリーンとバックスクリーンを合わせたものが「現象の全体像」で、このようなスクリーンの動きを命令した犯人が純度１００％の心、源泉の心の動きです。

ココロ　犯人がやっと出てきました。でもその「源泉の心の動き」というのがぼんやりしています。

ノジェス　それは無理もありません。先ほども言ったように、人間の脳では、認識することも、イメージすることも、感じることもできない絶対世界なので、地動説を受け入れた時のように正しく理解することです。宇宙空間の中はすべて相対世界ですが、人間の脳は相対世界しか認識できません。つまり脳ではなく心を使わない限り、絶対世界を認識することはできないのです。

ココロ　脳ではなく心を使う…。映像スクリーンの中で脳ばかり使っていて、心を使ったことがないからわからないです。

ノジェス　大丈夫です。実は、心の0.7％はいつも使っているけれど、脳と心がわけられずにいたから、上手に使えないだけです。でも認識技術によって誰もが心を使うことができるようになります。先ほどのEの質問をより正確に表現してみると、**「スクリーンの動き（現象の全体像）は、どこか**

ら来て、どこへ行くのか」という究極の問題意識になります。この質問を持つことで、現象の生滅の仕組みや本質がみえるようになるのです。

この問いが「観点の問題ＨＯＷ」の理解であり、**人間が一番優先して解決しなければならない問題＝ファイナルクエスチョン**です。

あおい　現象の全体像も観点の問題も、誰も発見すらしていないですよね。それを誰でも理解できるように定義や体系化までしていることに驚きです。

ノジェス　ちなみに、宇宙自然に物質が存在するためにはサハロフの三条件（Sakharov conditions）を満たすことと言われていますが、これはバックスクリーンの対称性が破れて映像スクリーン化される動きとつながります。

ココロ　サハロフの三条件というのがあるのですね。ところで現実世界は脳を使って見ると物質や存在がたくさんあるように見えますよね。これは脳の作用によって「物質がある」と勘違いしているということですか。本当は、源泉の心の動きひとつしかないけれど、あらゆるものが有るように見えているだけだと。

ノジェス　その通りです。では、今までの内容を言語の観点で整理してみましょう。

言語にはデジタル言語とアナログ言語があると言いました。動きが存在させるデジタル言語は、スクリーンの外からスクリーンが生まれる仕組みを説明する言語です。そして存在が動くアナログ言語は、映像スクリーン内の現象を語る言語です。

デジタル言語が海ならば、アナログ言語は海を泳ぐ魚のようなもの。この全体像がわかれば、2つの言語を同時に使えるようになります。

ココロ　同時に言語を使う?そんな器用なことができるのですか。

ノジェス　できますよ。例えば五感は「天動説感覚」で地球の動きを感じられませんが、概念では地球は動くという「地動説感覚」もあります。このように今ここで2つの感覚を同時に使えるので、**「存在当たり前感覚（アナログ言語）」**もありながら、**「存在不可能感覚（デジタル言語）」**も同時に使って楽しむことができるのです。

すると、目の前は何も変わっていない（存在があるように見える）のに、全てが変わっている（存在はひとつもない、全ては心しかない）というようにみえる摩訶不思議な世界が広がります。

ココロ　わあ、それはどんな感じなんだろう…。

でもちょっと安心しました。もしかしたら「今後は存在する感覚やアナログ言語はいらなくなるのかな、だったらどうなるんだろう」と戸惑っていたので。でも、存在不可能感覚というのになれたら、今までの感覚もそのままありながら、存在はないこともわかるということみたいなので、そうなれたら楽しそうです。

ノジェス　この全体像がわかった時、ようやく自分の人生ゲームを自分で設計できるようになります。源泉の心の動きとつながった夢やビジョン、ストーリーを描くことができれば、無駄も迷いもない判断ができるようになりますよ。

脳と心の機能はそんな仕組みだったのか

ココロ　脳から自由になり疲れ知らず、やる気無限大になれますと言われたときは、正直半信半疑だったのですが、理解が進むうちにだんだんとそうなれるかもと思えてきました。

ノジェス　よかったです。では、アクセル（心）とブレーキ（脳）を同時に踏んでいる状態から、どのように脳と心を「分離、分解、蒸留する」のかをみていきましょう。

映画や動画では、１秒間に何枚の静止画を表示させるのかをフレームレートと言います。映画は１秒24コマ、テレビは１秒30コマのように、静止画を高速でつなげて見ることによって動いているように見えます。現実の映像スクリーンも実は動画の仕組みと同じで、１秒で10の５００乗コマとい

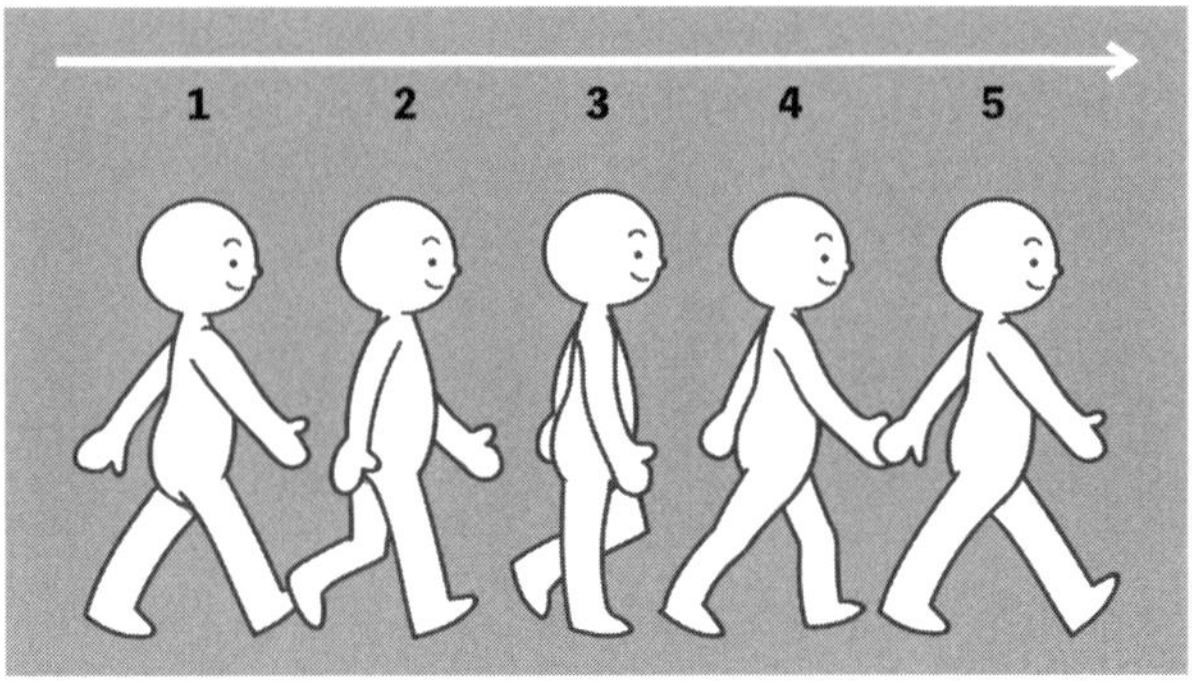

〈 映像スクリーンは静止画を高速でつなげた立体映画 〉

う超高速で動く立体映画です。

ココロ　現実も動画と同じ仕組みで成り立っているのですか。でも、どう見ても「静止画の連続」とは思えないから不思議な気持ちになります。

しかもパラパラ漫画のように1秒間に10の５００乗回も有ったり無かったりしながら映っている立体映画だなんて、どんなスピードなのかわからないです。ビデオみたいに止められないし、連続しているとしか思えないです。

ノジェス　身体感覚が基準なら、そう思いますよね。それではまず「主語と述語」の分離、分解から始めましょう。

◎述語の分離、分解

分離分解を言い換えると「微分」です。映像スクリーン（現実）はアナログ言語の結果物と言いました。

すべてのものは、アナログ言語である主語と述語で形成されていて、主語と述語は完全に脳と同化してピッタリ張り

〈 映像スクリーンの存在（主語）は点だらけ 〉

付いているような状態です。

1段階目は「述語の分離分解（微分）」です。この現実はアニメの仕組みのように1枚1枚の静止画がつながって動画化されています。静止画を連続してつなげてみる（積分する）ことで「動き、時間＝述語」が生まれますが、つなげずに「1枚の静止画状態」に戻せば、動きがなくなります。これで述語の分離分解は完了です。

ココロ　静止画になるから動きがなくなり、述語が消えるということですか？

ノジェス　そうです。2段階目は主語の分離分解です。

◎主語の分離、分解

立体は面から、面は線から、線は点から成り立つように、色、模様、形、境界線があるものは全て点で成り立っています。つまり宇宙は「点だらけ」ということです。イメージ的には点描画ですね。

ココロ　写真を拡大すると色の粒々になるように、画素（ピクセル）で画像が成り立っていますけど、あんな感じですか？

ノジェス　そうです、その点はもっと細かく目では見えない点です。全ての色、模様、形、境界線は点で成り立っていますが、点と点の間も本当は全部がつながっていて、今ここが宇宙の中であり外でもあります。

人間の脳は勝手に点をつないで境界線を引き、分離、断絶、固定して「ここまでがリンゴ」などと「存在(S)」を存在させています。そこに動画の原理を取り入れて「存在(S)が動く(V)」と認識し、「物質を見ている」と錯覚します。この仕事をするのが脳の観点であり、アナログ言語、身体感覚です。

ココロ　つまり述語を分離分解したら主語が残り、主語を分離分解したら「点だらけ」になるということでしょうか。そしたら点だらけを分離分解するとどうなるのでしょう。

◎点の分離、分解

ノジェス　はい、次にそれを考えてみましょう。

まず、点だらけは、粒子(物質)の点の集まりです。では粒子の点1個はどのように生まれたのでしょう。映像スクリーンはバックスクリーンによって成り立つと言いましたが、バックスクリーンは3段階あります。

〈 3段階のバックスクリーン 〉

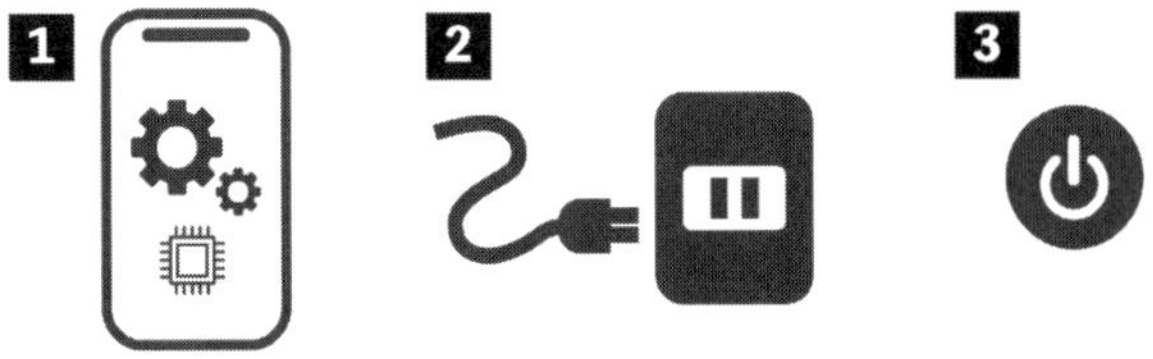

バックスクリーン 1

工場で半導体チップなど内部構造完成（エネルギー場／着火点）

バックスクリーン 2

電源コンセントにプラグを接続、充電（量子場、光場／特異点）

バックスクリーン 3

起動スイッチ
（粒子化、スイッチオンで映像スクリーンが生まれる／偶発点）

スマートフォンに例えると

1：工場で製造されて半導体チップなどの内部構造が完成した状態

2：本体をコンセントにつないだ状態

3：起動スイッチを入れてスクリーンを立ち上げる状態

というようになります。

《シミュラークルとシミュレーションでわかる宇宙の成り立ち》

物理学者は「点1つがビッグバンして宇宙が始まった」と言います。実は、点だらけの映像スクリーンは「点1つ」から生まれています。その点がバックスクリーン1の「着火点」です。着火点が圧縮するとバックスクリーン2の**「特異点」**になり「力（重力・電磁力・強い力・弱い力・脳の斥力）」が生まれます。力はエネルギーを入れる器ですが、その器が脳の斥力の段階まで圧縮されて反転すると光場が誕生します。

お母さんのお腹から赤ちゃんが誕生してオギャーと泣いた瞬間に設計される脳の観点（脳のマトリックス場）と、この光場が出会って起動スイッチが入り、映像スクリーンが生まれます。この起動スイッチが入った瞬間を**「偶発点」**と言います。脳の観点が働く前までは存在ですが、脳が働けば認識になり、存在論と認識論の統一が起こります。

まとめると、**着火点**（点1個）がビッグバンして燃え上がり、力、光、粒子、反粒子を生み出しては消え、また心に戻る動きを繰り返します。これを**シミュラークル**と言います。

この時、脳の観点が光（可視光線）の粒子だけをキャッチして色、模様、形というホログラム（物質宇宙）を生み出し、その一部分が自分の映像スクリーンになります。これが**シミュレーション**です。

◎**シミュラークルの動き**（心の動き、心の機能）

純度１００％の心からエネルギー、光までつくって心に戻る動き

◎**シミュレーションの動き**（脳の動き、脳の機能）

光から生まれる粒子の塊（点だらけ）を脳の観点が捉え、点と点を脳がつなげて境界線（面・三次元立体・物体の動き）を引き、主語述語、存在の因果関係の物語（ストーリー）をつくる。

このように、大まかにはシミュラークル（心

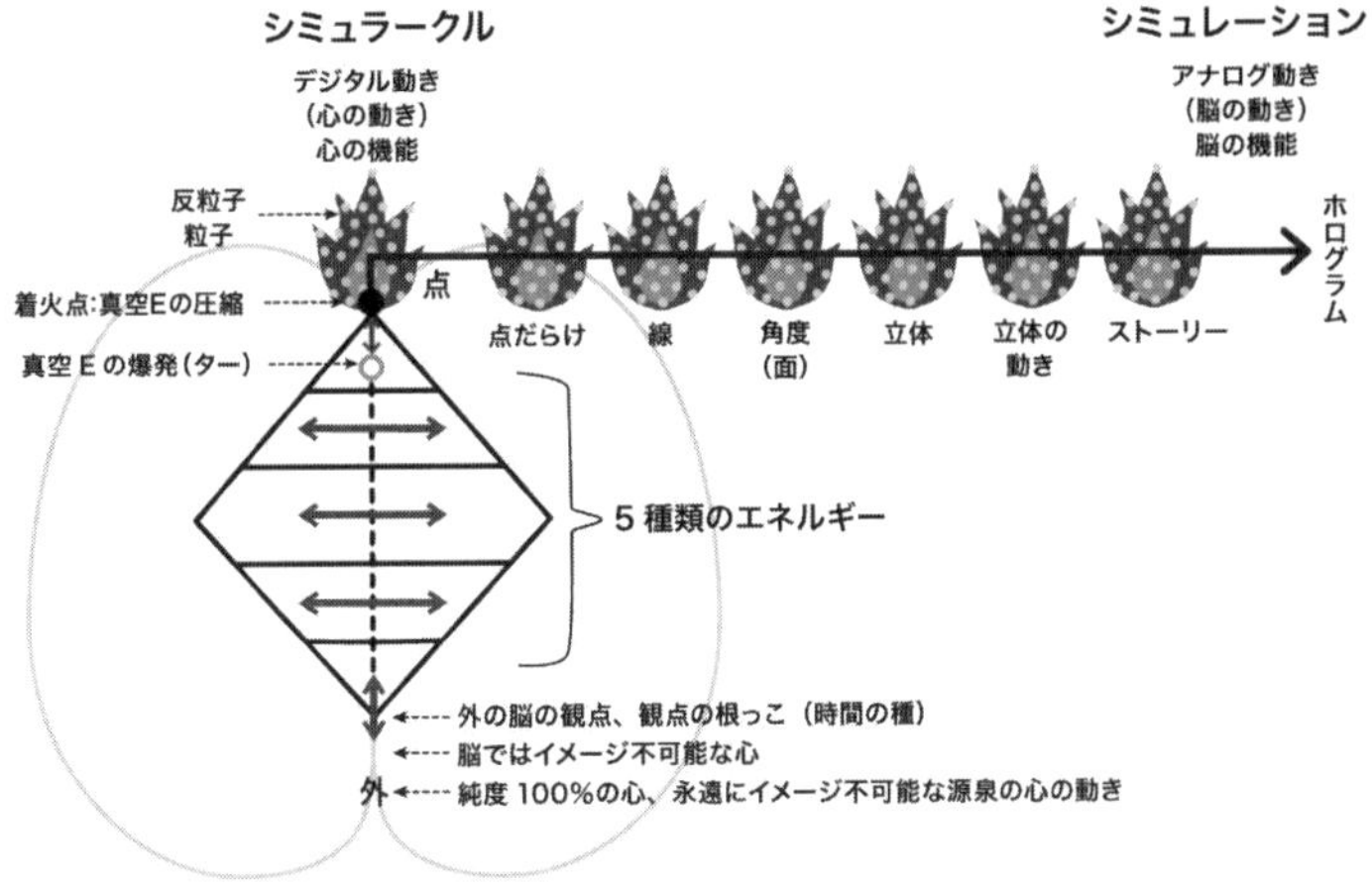

〈シミュラークル（心の動き）とシミュレーション（脳の動き）の関係性〉

の動き）によってシミュレーション（脳の動き）が作動して映像スクリーンが生まれるということになります。言い換えれば、心のマトリックスと脳のマトリックス（脳の観点）が出会うことで現実が生まれるのです。

心のマトリックス（バックスクリーン）と脳のマトリックス（映像スクリーン）に分けて捉えることはできましたが、この段階ではまだ純度１００％の心までは蒸留されていません。

●エネルギーの動きと着火点の誕生

点1個の着火点ができるまでには、純度１００％の心が「超スピードの5種類のエネルギーの動き（次元が違う5種類の点だらけ）」をつくる必要があります。

その動きは、内と外がひっくり返りながら同時に爆発と圧縮をする1対1のデジタルの動きです。この動きの繰り返しで5つのエネルギーの点だらけができたとき、それが相転移して「着火点」が生まれるのです。

●純度１００％の心とは

スマートフォンが作動するには「発電所の外の大自由な電気」が必要でした。その大自由な電気に該当するのが純度１００％の心、源泉の心の動きです。純度１００％の心は、エネルギーと物質というバブル、泡沫の外側です。ここは脳が一切、働きません。無限にどこまでも外がないオープン状態であり、無限のスピードです。「動きそのもの」になってしまえば「動きゼロ」になります。

エネルギーと物質から遠く離れて、外がないところの遠い、遠い、遠いところからエネルギーと物質のほうを振り返ってみると、エネルギーと物質が「点」になり、あるのかないのかわからないほど極小になってしまいます。

では、このエネルギーと物質の「点」を取り除いたらどうなるでしょうか。

そこで現れたのが「間（ま）」です。これはゼロスペースとも言います。純度１００％の心が得た初めての間。境界線がひとつもないオープン状態だった純度１００％の心の内側に、初めて生まれた境界線、初のクローズ界です。これが脳の観点の根っこであり、時間の種です。時間、空間、存在、エネルギーなど全てを生み出し続ける子宮のようなイメージでもいいでしょう。

この純度１００％の心が「間」に入り込むと5種類のエネルギーの動きが生まれ、エネルギーの動きが相転移したら物質になり、映像スクリーンが上映されるのです。

ちなみに、この心の動き（間の動き）を数式化したものが0＝∞＝１。心、エネルギー、物質の関係性を言語化したものがデジタル言語１・５・１です。

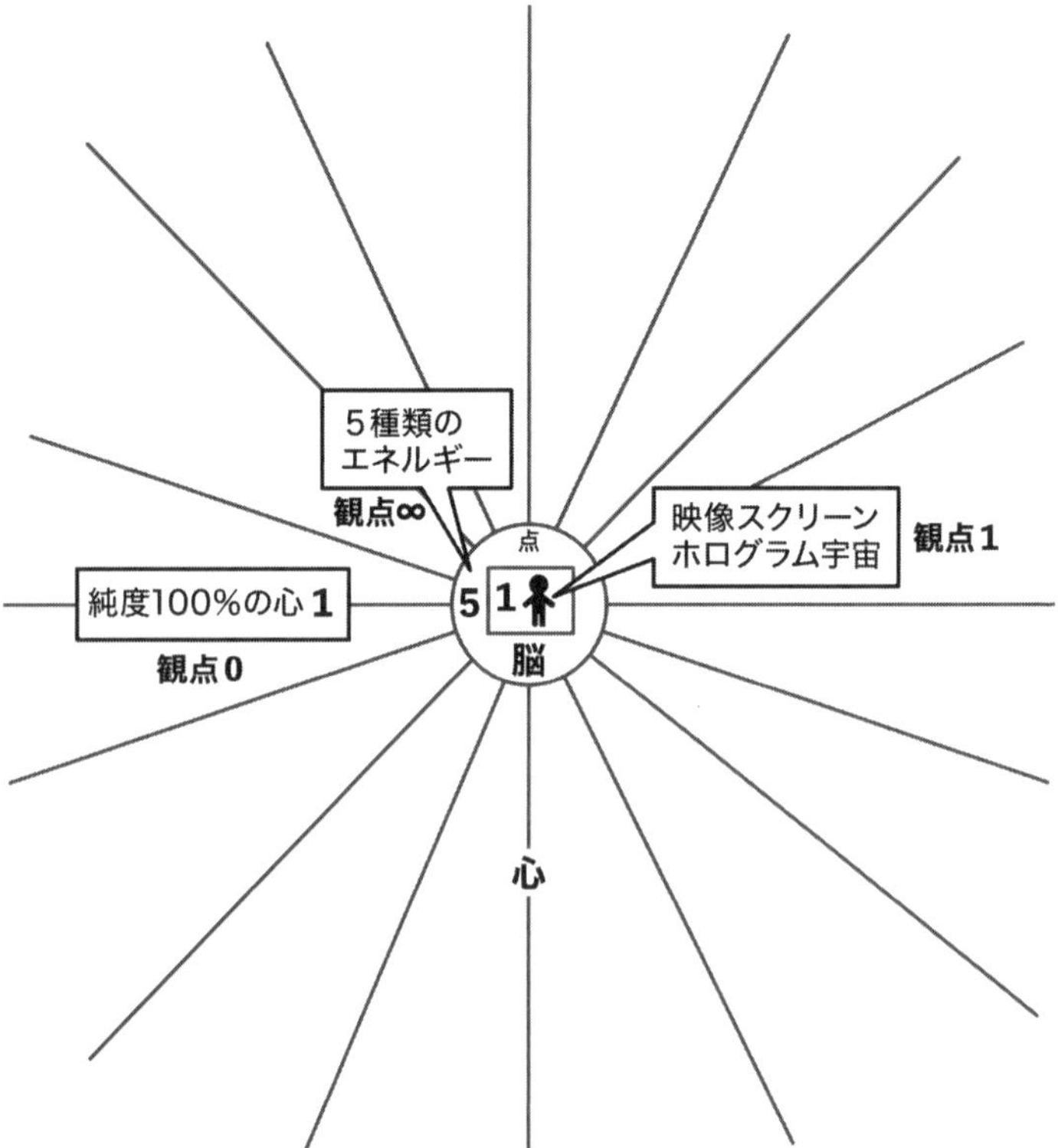

〈 純度100%の心から点が生まれる 〉

●点とは

数（すう）0を、幾何学では点と表します。ユークリッド幾何学において「点は、位置を知らせるのみで、部分（大きさ、方向、重さなどのあらゆる特徴）を持たないものである」と定義づけられています。つまり、点であるためには、部分がない、割れないことが条件です。実際にボールペンで点を書こうとすると、どんなに小さく描いてもその点は、面積0、重さ0、高さも0にはなりません。肉眼では見えないほど小さく点を描いても、電子顕微鏡で見ればインクの海、インクの山、点どころか立体です。

点であるためには部分を持ってはいけないのですが、実際は面積、重さ、高さもあるため部分でしかなく割れてしまいます。つまり現実空間では点は実在しないということです。あくまでも、数学上での定義、人間の考えの中にある概念なのです。

ココロ　純度１００％の心からみたら「点」にもならない狭い範囲で、エネルギーや物質を生み出しているということですか？大きさの規模感が日常生活とはかけ離れているので想像できませんが、まったくスケールが違う次元の話をしているのはわかりました。

ノジェス　はい、スケール革命が必要です。固定した観点から観たら、モノは伸びたり縮んだりせずに大きさは一定ですよね。でも、途方もなく大きいと思っている宇宙も、宇宙の中から観ているだけでなく、宇宙の外の外というずっと遠いところから見れば点のように見えます。そのように観点を自在に移動してみることで大きさも変わるのです。

そして、宇宙は点から生まれます。点のなかの、映像スクリーンのなかの、自分の画面のなかのアバターが私たち人間一人ひとりです。純度１００％の心からしたら、あるのかないのかわからない点は夢であり泡沫です。それを人間は「リアル」だと思い込んでいるのです。

脳から完璧に自由になって永劫回帰をストップするには、この最初の変化である「間（ま）」を取り除かなければなりません。

ココロ　とんでもなく狭く閉ざされた世界で永劫回帰しているとイメージしたら苦しくなりました。それで「間」を取り除いたらどうなるのでしょう？

ノジェス　「間」の外の純度１００％の心、源泉の心の動きは、どこまでも開いたオープン状態です。

何ものにも依存しない絶対世界であり、何でもできる無限大可能性そのものです。その動きは脳では認識不可能なウルトラスピードで、時間がかからない最速の動きなので、例えば宇宙を９０００兆回創造破壊して戻っても時間がかかりません。つまりどんなに動いても「何もやっていないのと同じ」なのです。

その純度１００％の心がスピードダウンしたのが「点」です。その点の中で、さらにスピードを落としながら変化を起こし、それを人間の脳が捉えて「様々な相対世界、多様な存在が生まれた」と錯覚します。つまり、多様なものがあるのではなく、全ては心の変異体。何も変わっていないのです。依存ゼロの源泉の心の動きから、エネルギー、物質が生まれる現象には順序があります。その存在体系は言い換えると「依存体系」です。依存するにも順序があるということです。

あおい　ところで哲学の難題のひとつに、自由意志論と決定論の矛盾の問題がありますが、これも認識技術で解決できるのでしょうか。

ノジエス　シミュラークルとシミュレーションの動きで、その矛盾は解消できます。詳しい説明は省きますが、簡単にいえば過去は決定論ですが、未来は自由意志が働くので、両者は同時に成り立ちます。過去も未来も錯覚・バブルなので、源泉の心の動きから生まれる仕組みがわかれば、どちらにも縛られない状態になれます。

あおい　そんな簡単に整理ができてしまうのですね。哲学の難題だけでなく、時間が生まれる仕組みや心半導体の発明なども簡単に紐解いてしまう認識技術は汎用性無限大ですね。

不可能性そのものの自分＝無限大可能性そのもの

ココロ　まだ疑問に思っていることがあります。そもそも源泉の心の動きは、なぜ人間に「生きろ」と命令して、脳の中に閉じ込めて苦しむようにさせたのでしょうか?

ノジェス　理解に苦しみますよね。なぜ脳が必要だったのか、人間が苦しまなければならなかったのか。これについては「観点の用途・機能・目的」を整理しながら理解を深めましょう。

まず**観点の用途**は、連続二段階の変化を起こすことです。

一段階目は、観点ゼロ状態（観点0）の源泉の心の動きからバックスクリーン（量子場・エネルギー場：観点∞）をつくること。二段階目は、バックスクリーンから映像スクリーンを生み出すことです。

この連続二段階の変化を起こすことで、観点の機能が働きます。

観点の機能は、リテラシー（解釈）です。連続二段階の変化によって生み出された映像スクリーンの中の多様な存在の変化、運動、移動や、存在どうしの関係性をリテラシー（解釈）するのです。
次に**観点の目的**は、自分のリテラシーの方向性や目的が一貫性を持つように「観点を1つに固定すること（観点1）」です。

ココロ　観点を1つに固定するのが目的とは…。固定したら不自由なのにどうしてでしょう。

ノジェス　今から、その疑問を解明しましょう。人間は「身体が自分」だと思い込んでいます。でも身体の自分は、水も酸素も光一粒さえも作れず、分離、断絶、固定、独立して存在することは不可能です。つまり**身体の自分は実在ができない「不可能性そのもの」**なのです。主語（S）となる自分が存在できないのであれば、全ての述語（V）も嘘になります。
人間は普段、様々なものが「変化をした」と思っていますが、この現象は観点の中で「変化をしたと思い込んでいるだけ」に過ぎません。実は人間は、一度も本物の変化をしたことがなく、一度も自分の観点の外側へ出たことがない。自分の観点の中を永劫回帰しているだけだという事実を認識し、絶望することが重要です。

ココロ　身体の自分が存在できないのは、ビールに依存している泡のようなものだからですよね。それに気づかず脳の中で頑張って幸せになろうとしている。自分の世界だけをみて生きているのかと思うと、悲しい気持ちになります。

ノジェス　ですから中途半端な希望を持つのではなく、本質的な疑問を持つことです。「不可能性そのものの自分が、どうして幸せな人生を送れるか。成功できると思うのか。このままでは不可能ではないか」と、**自分は「不可能性そのものなんだ」と現在地に絶望しきること**です。

ココロ　不可能性そのものですか…。でもそういえば「身体の自分でできることは何ひとつない」とおっしゃっていましたね。

ノジェス　はい。だから「身体の自分でどうにか幸せになれるはず」と思うのは大きな勘違いです。そのように勘違いしていれば、上手くいかないのを環境のせいにしたり、「努力が足りないからだ」と無理にモチベーションを高めようとしたり、「良いところをみよう」と自己肯定感を高めようと努力したり、それにも疲れて「楽観的になればいいじゃないか」「多様性を認めよう」などと中途半端な希望を抱いて逃避したりします。でもそれでは、誰の幸せにもつながらないとわかることです。

あおい　どれもやっていました。周りと比較して「私はまだマシ」「あの人よりは幸せ」と言い聞かせ、自分自身を客観視するのが恐いから目を逸らして頑張ってきた気がします。

ノジェス「自分とは何か？」と自分探しをするなかで、現実から目を背けずに客観的に自分をみる勇気が持てれば、行きつく先は絶望です。ただ「不可能性そのものの自分」にできることはひとつもないことがわかれば絶望するしかないので、本能的に避けようとするのはやむを得ません。

ですが「不可能性そのものの自分」で幸せや成功人生を送ろうとしても、そもそもが「不可能」なのだから絶対に叶うわけがありません。**「身体の自分」のままで幸せや成功を追求することは、「変化不可能なものを変化させようとする」行為**ですから、潔く諦めるのが賢明です。本物の自己肯定感は、究極の自己否定から始まるのです。

ココロ　絶望や否定は良くないイメージで避けて通りたいと思っていましたが、必要な絶望や否定があるのですね。自分を守ろうと本能的に回避していたけど、思い切って究極の自己否定をしてしまうことで、先が見えてくるのですね。

ノジェス　はい。中途半端な絶望では幸せになれません。**不可能性そのものの自分を認識して絶望すること。これが「正確な質問＝ファイナルクエスチョン」です**。これは、「映像スクリーンとバックスクリーンを行き来する現象の全体像はどこから来たのか」という質問とイコールです。**人間が唯一できる変化は、「不可能性そのもの」の自分が完全に死んで脳の外、スクリーンの外に出ることだけ**。この変化だけが意味や価値がある変化であり、人間が選択できる唯一無二の変化です。それ以外の変化は全て脳の中、観点の中、夢の中での虚構です。

ココロ　例えば、寝ている時にスーパーマンになった夢をみて「強くなったぞ」と変わることができたと思っても、それは夢の中の出来事で、起きたら何も変わっていないというように脳の外、スクリーンの外に出ることでしか本物の変化はできないということですね。

ノジェス　では、人間が唯一可能な変化がわかったらどうなるでしょうか。それは、「無限大可能性」に大反転！脳の外、スクリーンの外に出て「ああ、無限大可能性そのものだったのか」と歓喜がどこまでも爆発します。つまり不可能性そのものの外は「無限大可能性そのもの」、Ａ＝ｎｏｔＡです。

ココロ　「自分は不可能性そのもの」（Ａ）だけど、Ａの外に出れば、ｎｏｔＡで「無限大可能性そのもの」になる。だから一気に大反転してしまうのですね。

ノジェス　はい。でもここで終わりではありません。先ほどの「なぜ源泉の心の動きは繭の中のサナギをつくったのか」について、まだお伝えしていませんから。
考えてみましょう。「不可能性そのもの」の反対は「無限大可能性そのもの」でした。では、「無限大可能性の不可能性」は何でしょうか。

ココロ　無限大可能性の不可能性？源泉の心の動きができないこと…何でしょう？

ノジェス　「ひとつに固定されて変化が不可能」なこと。これが無限大可能性の不可能性です。その不可能を克服しようと源泉の心の動きが挑んだのです。
では源泉の心の動きは、どのように不可能に挑んだのでしょうか？
その出発は「無限大可能性そのもの」への自己否定です。しかも一度のみならず、何度も自己否定に自己否定を重ねて、ようやく「自分（身体の人間）」の誕生に成功したのです。「自分」が生まれたら、無限大可能性だけに固定されなくなります。つまり「不可能性そのものの自分」が完全に死んだように、無限大可能性も完全に死ぬことで、「身体の自分」が生まれ、「無限大可能性」と「身体の自分」の二つを存在させることに成功したのです。

ですが、身体の人間が脳の中に留まるようになれば、またひとつに固定されてしまいます。ですから「身体の自分が脳の中に留まりたくなくなるように」ゲームを設定したのです。

つまり、身体の人間が「自己否定や他者否定、環境否定をするように」初期設定をし、最終的には「自分＝不可能性そのもの」だと気づいて「究極の自己否定＝完全死」をすることで、目的知・完全知に至るように誘導したのです。

ココロ　そうだとしたら「自分」が存在できてるってすごいことなのですね。身体の人間が、自己否定や他者否定をするようにプログラムされていたというのも驚きです。

源泉の心の動きは無限大可能性だけど「ひとつに固定されて変化ができない」という不可能があったとは。それに気づかなければ「源泉の心の動きに留まっていればいい」と勘違いしそうです。

ノジェス　そうです。ですから**源泉の心の動きにも、脳の中にもどちらにもとどまらない完全循環が重要です。**目的知・完全知に到達すれば、脳の中が条件によってコロコロ変わることや脳の中の依存体系がわかり、完全循環が起こります。

目的知・完全知は完全死でもあります。脳の中の死は不完全な死なので、肉体が死んでも永劫回帰し、再び「不可能性そのもの」で生きるしかありません。

でも**今ここ、この瞬間に完全に死ぬことによって、完全に生きることができます。**一度きりの人生、完全燃焼したいと思いませんか。

ココロ　完全燃焼した生き方ができるなんて夢にも思わなかったけど、できるならしてみたいです。

ノジェス「不可能性そのものの自分を認識して絶望する」というファイナルクエスチョンに対するファイナルアンサーは「自然と無限にやる気が生まれる剰余エネルギー」です。

目的知・完全知に達したとき、人間が完成し、意味や価値が完成し、心のゆとりが無限大になります。

全ての答えがわかった状態で、有り余るエネルギーが自然と湧きあがるのです。

自分維新で諦め不可能な夢を持つ

ノジェス　心、エネルギー、物質の関係性がわかり、エネルギーの生産方式もわかると、誰でも生産手段を持ち、意思決定ができるようになります。エネルギーのゆとりがあれば、人の話に耳を傾けることができ、あらゆることに関心が湧いて知的好奇心が大爆発します。すると自分維新が起き、**「これで生きる!」という諦め不可能な夢**を持って終わりなき進化が始まります。

あおい　心のゆとりは特に現代人にとって必須なもののように思います。さらに「諦め不可能な夢」が持てたら言うことなしですね。

ノジェス　はい、誰でもその夢が持てますよ。私も日本の底力を発見して諦め不可能な夢をワクワクで楽しんでいます。人間の意志の出発は「関心」です。関心は認識（観察）から始まりますから、まずは認識習慣をつけることから始めましょう。

それには認識するときの「接続先」が重要です。**脳に接続すれば脳の観点の結果物が生まれ、源泉の心の動きに接続すれば、観点に縛られずに観点を自由自在に楽しめます。**

ココロ　ということは、源泉の心の動きと接続することが最優先ということですね。これまではお金や恋人など何かに依存したり、ポジティブシンキングなどの手段知・道具知を得てきましたけど、これらをいくら頑張っても、幸せや諦め不可能な夢は得られないということですよね。

あおい　「愛の対義語は憎しみではなく無関心だ」という言葉がありますが、出発の認識によって関心の範囲、愛の範囲が変わるから、関心をどこに向け、何に接続するのかが大事ということですね。

ノジェス　はい、それには観点が生まれる仕組みを理解して、認識の始まり（α）と終わり（ω）を進化させることです。すると、**完全認識（α）と完全理解（ω）が起きる**ようになります。

ココロ　具体的にはどうしたらいいのでしょう？

ノジェス　シンプルに構造でみてみましょう。まずはすべての観点をオールゼロ化して、観点の外（観点0）の源泉に戻ること。その源泉の心の動きがエネルギーをつくって無限の観点（観点∞）を生み、無限の観点（観点∞）のうち1つの観点（観点1）に固定されるようになります。

完全認識（α）は、「観点の外＝源泉の心の動き＝観点0」に心を置いて認識することです。つまり源泉の心の動きに接続して認識するのです。

このとき注意することは、人間は自動的に初期設定された脳に接続して条件反射しますから、そうではなく「本物の主体」そのものになって、「今ここ」で自分の認識に勝負する決断と覚悟が重要です。

ココロ　「今ここ」は何度も聞いたことがありますが、わかるようでわからないです。

ノジェス　唯一、実在するのが「今ここ」です。過去も未来も現在もありません。ですから「今ここ」デジタル言語を道具に映像スクリーンとバックスクリーンを同時に認識することです。そうすれば

「PU（パーソナルユニバース）スクリーン着火点感覚」を得て、観点を楽しめるようになります。これがデジタル認識です。観点の結果も観点の用途、機能も全てがわかり、今ここで認識できるようになる技術が認識技術であり、完全学問です。これにより知識も行動も完成するのです。

ココロ　源泉の心の動きから出発すれば、自分の人生というゲームを設計して自らプレイすることができるのですね。

ノジェス　これまでの学問のようなアプローチでは複雑すぎてわからないことでも、源泉の心の動きからみればとてもシンプルです。

ここで**源泉の心の動きの機能を3つ**で整理しておきましょう。

1つ目の機能は「自分が何者なのかを知るためのアバター生成プログラム（シミュラークルの動き）」です。これによりシミュレーション（脳機能）が働きます。

2つ目は「オールゼロ化、消しゴム機能」です。この機能により源泉の心の動きに戻し、観点の外に出て歓喜のエクスタシー大爆発！全ての仕組みがわかって目的知・完全知に到達します。

すると3つ目の機能、「遊び感覚、ゲーム感覚、祭り感覚」が発動し、剰余エネルギーでゆとりを持って楽しむことができるのです。

BEST
BEING

3章 日本文明の宿命とアモール・ファティ

課題先進国の日本に希望が持てるか

ココロ　関心の範囲を広げて本質的な問いが持てる自分になることがなにより大事ですね。そのためには知るべきことを知って、自分も社会も活かせるようになりたいです。

ノジェス　はい。関心の範囲を広げることは大事です。変化させるためには人間と、その環境である国や時代背景なども把握して、何をどう変化させたらいいのかを正しく診断できることです。病気もそうですよね。医者が的確な診断をできずに間違った処方をしてしまったら大変です。

あおい　私は子供の将来を考えると、どうしたら不安のない社会になるのかと考えます。「日本は終わった」という人も多く、国自体がとても疲弊しているように感じるので。

私にも何かできることはないかと思っていたときに、「国際子ども平和賞（２０２２年）」の初の日本人受賞者である川崎レナさんのスピーチを聞きました。彼女は当時17歳の高校生で、若者の政治離れに問題意識を持ち、社会への参加を促す取り組みを積極的にしていて評価されました。

スピーチでは、「変わりそうにない日本、自分の生まれた国、日本に誇りを持てないことがとてつもなく悔しかった」「39歳の市長が、議会中居眠りする議員に向かって『恥を知れ』と叫んだのを見たとき、まだ日本は変われると思うことができた」と話していました。何より彼女の力強い語り口調は心に響くものがあります。

それが、日本の現状を憂いながらも傍観していた私自身に向けられた言葉のようにも聞こえて。

私もこんなふうに人に影響を与えられるようになりたいと思いました。

ココロ　その高校生のスピーチ、私も聞いてみたいな。すごく勇気があると思う。

あおい　ぜひ聞いてみて。そうはいっても、博報堂生活総合研究所が発表した「グローバル定点２０２３」の調査では、「自分の将来イメージは暗い」と答えた人が、アジア８カ国中で日本がトップの43・７%。２位に倍以上の差をつけダントツで、日本の未来を悲観して希望が持てない人が多い現状が表れていました。

そして日本の少子高齢化も世界でトップクラス。高齢化率は日本がトップで、２０２０年は28・６%、人口の50%以上が65歳以上という「限界集落」は全集落の12・７%にあたるそうです。

２０２２年の出生率（女性が生涯に生む子どもの数）は１・26人と発表され、15歳未満の子どもの数は１９５０年の35%程度から２０２３年には11・５%に下がって過去最少を更新。他にも、ココロと同じ世代の日本の18〜25歳を対象にしたＢＩＧＬＯＢＥ「結婚と子どもについて」の調査では、45・７%が「将来、子どもがほしくない」と答え、経済面以外の理由としては、「育てる自信がない」「子どもが好きではない」「自由がなくなる」が多かったみたい。

ココロ　やっぱり。今の日本の状況で子どもを産んでも育てる自信がないし、子育てに一人で悩むママさんの話を聞くと余計に不安が大きくなる。それでも最近は恋愛や結婚の形が多様化してきているからまだ少しは気が楽かも。架空のキャラクターに性的に惹かれる「フィクトセクシュアル」で法的ではないにしても結婚する人もいるし、仮想現実の中で恋愛する人もこれから増えて少子化には拍車をかけそう。

あおい　架空のキャラクターと結婚するのか…。仮想現実の中で、見た目や声を自分好みにカスタマイズできて、会話も楽しめて快楽も満たしてくれるような「ＡＩ恋人」がいたら、生身の人間相手よりいいと思う人も増えそうだね。結婚や子育てにはお金もかかるし、面倒で大変そうだと諦める人が増えていけば、少子化になるだけでなく、どんな社会になっていくのか心配になる。

ノジェス　日本もですが、少子化は韓国も深刻です。２０２２年の出生率は０・78％と1人にもなりません。受験戦争を勝ち抜かなければ幸せになれないという根深い価値観があり、収入より教育費が上回る教育貧困層（エデュプア）も社会問題です。

あおい　エデュプアというのがあるんですね。あと、中国の人口減少のニュースも驚きました。一人っ子政策の副作用も要因のひとつで、一人っ子どうしの結婚は互いに兄弟姉妹がいないから、わ

韓国の合計特殊出生率は低迷

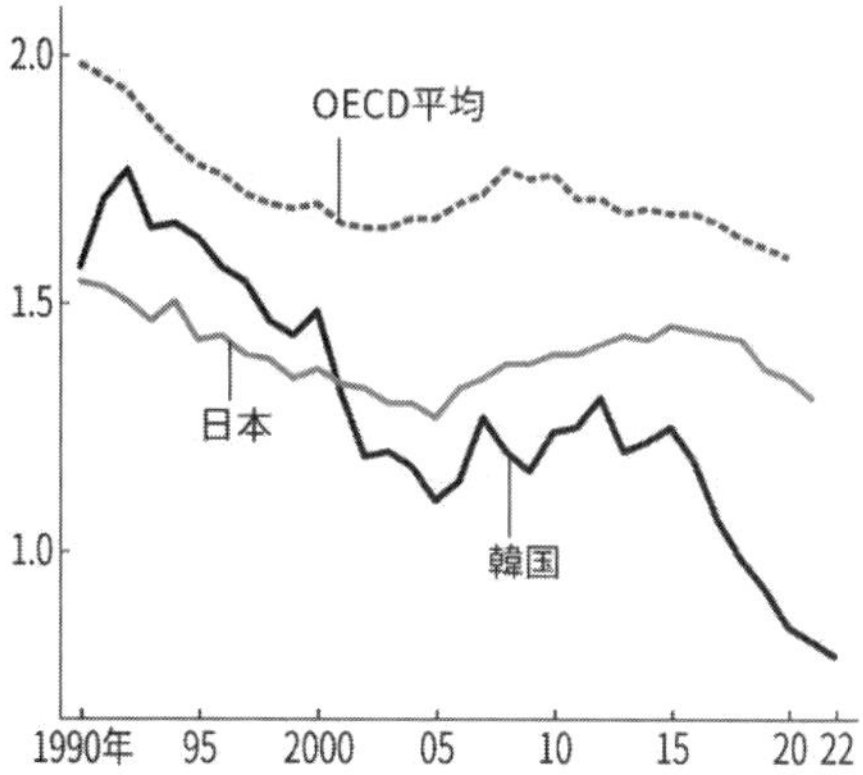

（出所）各国統計、OECD　※Wikipediaより引用

からないことだらけで何かと恐いことから「恐婚」と言われているそうですね。中国では一人っ子を「小皇帝」と言うそうですが、韓国も中国も子どもが少ないから、周りの期待を一身に背負うことになって親子ともども大変だと思います。

ノジェス　はい。高齢化でいえば、日本の高齢化率は、総人口の3割近くで世界一ですね。

それに伴って、今後はアルツハイマー型認知症も増えるでしょう。日本は２０２５年には5人に１人が認知症になる計算で、その数は７００万人に達するとの予測があります。

２０１１年にアメリカの研究が明らかにした、アルツハイマー型認知症の原因のトップは運動不足とのことで、日本は世界で一番、座っている時間が長く「１日7時間」と、世界20カ国の平均より2時間多い

（2012年シドニー大学が行った調査）という結果もあります。これでは認知症を加速させることにもなりかねません。

あおい　高齢者も認知症も増加する一方で、介護業界は慢性的に人手不足だから、親の介護に追われる人も増えるでしょうね。認知症発症後の生存期間は5～12年だと言われていて、私も両親にはずっと元気でいてほしいから認知症になってほしくないです。もし親が認知症になったら介護の問題も浮上して、生活も一変してしまうのもあり、考えるだけで複雑な心境になります。

ノジェス　介護者の増加は心身のストレスだけでなく、経済面の打撃も大きいですから、家庭だけでなく国家経済、世界経済としても重大な問題です。

日本では新型コロナウイルスの第5類移行に伴い、インバウンド（訪日旅行）が本格的に回復するだろうと観光産業に期待が寄せられています。外務省や旅行業界もインバウンド、アウトバウンド（海外旅行）ともに活性化を狙って対策を立てていますが、この期待はあっさり裏切られると思います。

ココロ　そうなのですか？街ではたくさんの外国人を見かけるし、日本は観光先として海外から人気があるとも聞きますが。

ノジェス　高齢化や認知症などの増加は先進国共通の課題なので、世界的に旅行どころではなくなっていくと予測できます。また介護する側もされる側も経済活動ができなくなれば人手不足にも陥ります。さらにモノ余りや未来不安から消費を控えるようになれば、世界経済は縮小を余儀なくされます。

あおい　観光産業も期待できないのなら、やっぱり日本の将来は厳しいと感じてしまいます。物価は上がるし、消費離れは進むし、経済は停滞しているし、ＩＴは後進国だし。デスクワークや肉体労働はＡＩが代替して仕事がなくなると言われていて、せめて絵や音楽などのクリエイティブな分野は人間が活躍できるのかと思ったら、生成ＡＩができるようになってきて…。

ココロ　その中で私たち若者世代の収入は減少傾向となると、不安ばかり生まれます。

ノジェス　今後、世界の先進国も本格的に少子高齢化のトンネルに入り、経済状況も悪化していきます。でも課題先進国の日本は、既にトンネルの出口に近づいているので、その意味ではラッキーです。

ココロ　どうして日本は出口に近づいていると言えるのですか？

ノジェス　日本はバブル崩壊から数年後の１９９７年には、高齢者人口より子どもの数が下回る少子社会に突入しました。バブル崩壊以降は失われた30年、40年と日本のマイナス面ばかりが取り上げられていますが、角度を変えてみれば、その状況の中でも日本企業はよく粘ってきたと言えます。世界市場で外貨を得て海外投資をしながら世界への影響力をある程度維持し、経済成長率も平均0.5～1.5％の範囲を維持しています。

長年の苦境下においてこの数字を出せるのは大成功だと言えるでしょう。夜明け前が一番暗いと言われるように、日本が一足先に新たな成長ステージへ入り世界の希望になるはずです。

ココロ　新たな成長ステージへ…そんなふうに捉えることもできるのですか。日本が最悪に見えていたのは、絶望から希望へ向かう証ともいえるのですね。

起死回生のカギは「文化成長」

ノジェス　日本が世界の先陣を切ってトンネルを脱出するには、いくつかの課題があります。そのひとつが**新しい成長発展モデルの概念を持つこと**です。付加価値は経済成長発展により創出されますが、その上での重要なキーワードは、経済成長率、資本収益率、未来確信力の3つです。

これまでの経済成長発展は軍事経済や実物経済、金融経済によるものでした。ですがAI時代になった今は、新しい経済成長発展モデルの構築が急務です。

ではここで、文化文明の変遷を整理しましょう。これを通してこの先の歩むべき道がみえてきます。

ココロ　ただ待っていてもトンネルから出られるわけではないということですね。

ノジェス　そうです。人間は生まれてきた以上、この世界を理解、説明、統制しながら世界との関係性を結び、何らかの変化を起こさなければなりません。では、これまでの人間はどのように世界との関係性を結び、何を変化させ、何を創造してきたでしょうか。

「宇宙自然」は生まれたときにそこにあったので、身体の人間がつくったものではありません。ですが人間は、「宇宙自然」という初期設定された環境下で「**文化と文明**」をつくってきました。

ココロ　文化と文明の違いが曖昧なので教えてください。

ノジェス　はい。まず「文化」とは、人間が何らかを実践をすることで起こした変化のことをいいます。その起こした変化の総合が「文明」になっていきます。そして、その文明が「人間活動に変化を要求」することで、さらに文明が発展していきます。

ココロ　人間が変化を起こして文化になって、それが集合体として文明になっていき、さらに文明全体が人間に変化を要求して発展する、という繰り返しですか?

ノジェス　そうです。次はその変化方法についてですが、**植物や動物は「進化」を選択して細胞内のプロテイン構造を変化**させました。一方、**人間は「文化」を選択し、アナログ言語の開発やソーシャ**

ルパワーを発揮しながら環境を変化させて人間が生活しやすい状態に変え、人間のアップグレードをしてきたのです。つまり動物は生命ＤＮＡを進化させることで、人間は文化ＤＮＡを駆使することで、生存競争を生き抜いてきたと言えます。

ココロ　動植物は「進化」を選択して細胞内を変化させ、人間は「文化」を選択して環境を変化させてきたなんておもしろいですね。

ノジェス　人間の文化ＤＮＡの変化は「実践」によるものと言いましたが、「思惟の程度」により実践の程度が変わり、人間の程度が決まります。ＡＩ時代を迎えた今は、ＡＩには真似ができない、ＡＩを超える史上最高の思惟が求められます。言い換えると、どの程度の視座で観察、思考、理解をして世界との関係を結ぶのかということです。

ココロ　それはデジタル認識を使うということですか？目的知・完全知に達して、源泉の心の動きとつながった思惟や視座を持つ必要があると。

ノジェス　はい。デジタル認識によって、**真の愚かさと真の弱さの象徴だった「ホモ・サピエンス＝不可能性そのもの」**から、**真の賢さと真の強さである「ホモ・ゼウス＝無限大可能性そのものに」になる**ことで、全く次元の違う思惟の程度に変わり、新しい文化文明のスタートが切れるのです。「自分をどう思うのか」というアイデンティティは文化活動のエンジンです。

これまでの文化活動による関係構築パターンは、中国を中心としたものと、西洋を中心としたものの二つに大別できます。これからはこの二つを超える「第3の文化活動による関係構築パターン」をつくらなければなりません。

ココロ　これまでの二つは、具体的にどのようなものでしょうか。

ノジェス　まずは中国を中心とした文化活動による関係構築パターンです。古代中国を起源とする「紙・印刷術・火薬・羅針盤」の世界四大発明があり、これらはルネサンス期頃までに西洋に伝えられました。これは地球物質などの具体的な存在を「物質Aから物質B」にアレンジするという技術によって世界との関係を構築するパターンで「技術文明」といえます。初期設定された受動的感覚（人間の本能、先天的認識機能）を駆使して「経験知識」を基準にした生産的思考によって技術を生み出し、文明を築いたのです。

ですがその後、西洋で中国の技術文明とは比較にならない知の大爆発が起きました。それはなぜだと思いますか。

ココロ　なぜ西洋で産業革命が起きたのかということですよね？

ノジェス　東洋は五感を「正しいもの」としてそのまま受け入れ、現実を肯定しました。でも西洋は「現実は何かに依存して存在するもの（バブル、泡沫）」だと気づいて五感を疑ったのです。

西洋は何にも依存しない絶対的な神があり、人間や現実は神に依存した存在、イエス・キリストは神と人間を媒介する存在だと考えました。つまり現実を疑い、疑いを正そうとしたのが西洋を中心とした文化活動です。

このように西洋は、ミクロからマクロ、最も遅いスピードから最速までをつないだ体系的秩序によって世界を理解し、説明して関係を構築しようとしました。今も欧米主導の文明が続いているのは、東洋（中国）とは問いの持ち方が違っていたからです。

ココロ　問いの持ち方が東西の差になったということですか。問題意識は本当に大事なのですね。

ノジェス　はい。西洋の問題意識は探究を生み、電子顕微鏡やハッブル宇宙望遠鏡など認識を拡張する道具を発明し、五感の超越を試みました。また経験知識によらない哲学精神、科学精神、数学精神などの思惟を生み出し、これら**「概念知識」を基準にした生産的思考によって科学技術を発達させ、科学文明を築いた**のです。

このように、現実を「誤ったもの、正しくないもの」と認識することは、倫理道徳や自由主義、民主主義の発展にもつながりました。ただ中国も西洋も「アナログ言語による因果論理（因果ロジック）をベースにした物質文明」であることに変わりありません。またどちらも「環境を改造すること」で文化文明を発展させてきました。そしてこのことは動物には真似ができない「人間の尊厳」でも

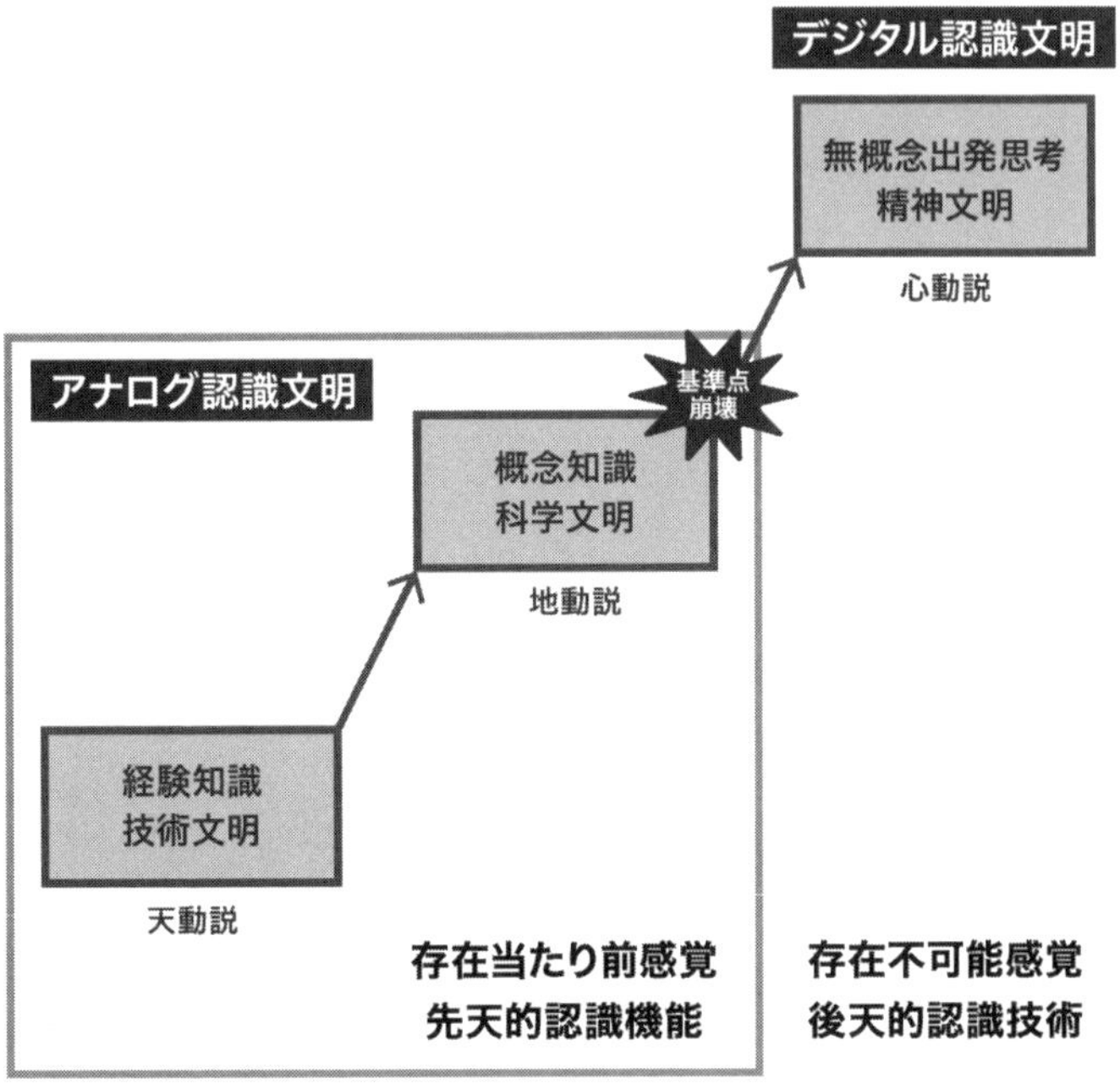

＜知識という基準点によって変わる文化活動＞

経験知識：
五感による経験で生産思考する（紙・印刷術・火薬・羅針盤など）
概念知識：
今までの存在当たり前の世界が破れて生産的思考する（スマホ・AI・ChatGPT、量子力学など）
無概念出発思考：
観点の外・スクリーンの外、すべての概念をゼロ化して生産的思考する（無知の知・無意味の意味）

ありました。

ですがこれからのＡＩ時代には通用しません。

ココロ　問いの持ち方が違うと、アプローチも変わるから文化活動にもはっきりと違いが出るのですね。でも、これからのＡＩ時代には通用しないのはどうしてでしょう。

ノジェス　アナログ言語による因果論理をベースにしている人間は、自分の「知っている世界」を基準にするため、相手とぶつかり戦争まで起こしてしまいます。今までのような不毛な争いや環境破壊などを続けていれば、人間はＡＩに非効率かつ無用の存在として扱われる日が来るでしょう。

これからの時代は、ＡＩには真似できない、ＡＩを超える史上最高の思惟を持つことです。

知っている世界から自由になる**無概念出発思考が共通土台**になれば、喧嘩や戦争が起きなくなります。後天的認識技術によって、大前提がない、偏見がない、絶対平等の源泉の心の動きだけが実在する「無概念出発思考」を基準に生産的思考をする文明を日本から始められます。

今までの存在当たり前の世界を突破し、純度１００％の心でＡＩを超える思惟を生み出していくのです。

人間のディープラーニングを可能にする新教育

ノジェス　人間は、船や飛行機などで陸路、海路、空路と道なき道を開拓して移動範囲を広げたり、インターネットで地球の裏側までリアルタイムでつなげたりなど、あらゆる発見や発明によって環境を改造し、多くの不便を解消してきました。そしてこれらは、近年になって西洋を中心に開発されたものがほとんどです。結果として個人のエゴが極大化した事実もありますが、生活はそれ以前とは比較にならないほど便利になりました。

この先、落合陽一氏が提唱するデジタルネイチャーが現実になれば、改造する側の「人間」と改造される側の「環境」の立場が逆転します。人間のＩＱ（Intelligence Quotient）は環境のＩＱに一気に差をつけられ、人間は「環境に統制される側」となり、環境の開発対象になります。つまり**文明の発達スピードが文化の発達スピードを超えてしまう**のです。

ココロ　人間が起こす変化より、環境つまり文明側の変化スピードが早過ぎて追いつかなくなるのですか？

あおい　現時点でも人間はＡＩに翻弄されているのに、デジタルと自然が融合して環境の進化スピードが人間の意識スピードを超え、環境全体がＡＩ化したら、人間はどうなってしまうのでしょう。今の経済成長を危惧して、新しい経済パラダイムとして脱成長（デグロース）が注目されていて、「最小限の消費でいい。古き良き時代に戻りたい」などの自然回帰を求める声も聞きますが…。

ノジェス　ＡＩ時代となった今、これまでと同じプレートで何とかしようとしたり、時代の逆行を訴えたりしても無意味です。アメリカの非営利団体「センター・フォー・ＡＩセーフティー」は、２０２３年５月に「ＡＩによる人類絶滅のリスクを軽減することは、パンデミックや核戦争など他の社会的規模のリスクと並ぶ世界の優先課題とすべきだ」という声明を公表し、他にも「ＡＩの開発競争が制御不能になり社会に重大な悪影響をもたらす」として、ＡＩ開発の６ヶ月間の停止を求める署名活動がありました。

ですが時代には時代の脈絡があるので、ＡＩ開発の流れは止まるものでもありません。

あおい　ということは、これからのＡＩ時代の観点や時代精神を知り、何を優先して行うのかを考える必要があるということですね。

ノジェス　ここで考えるべきは、はたして「ＡＩが人類のリスクの原因なのか？」ということです。人類の危機の真の原因は何か、お二人はもうおわかりですよね。

人類の危機の原因は「自分＝不可能性そのもの」だと知らないことです。

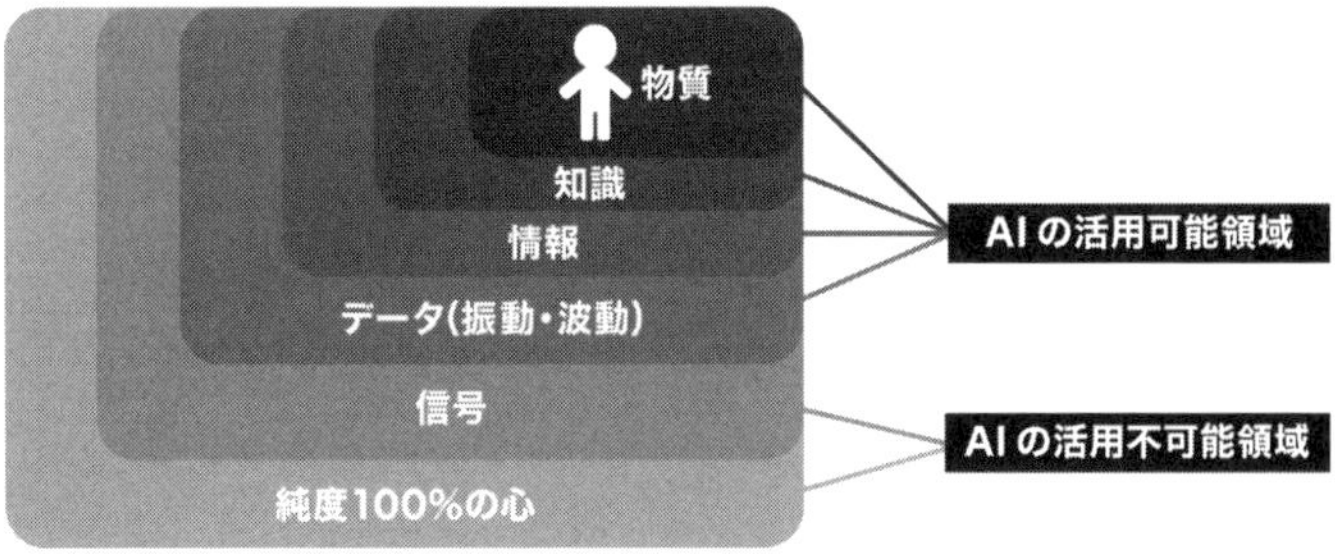

〈人間とＡＩのディープラーニング可能領域〉

現象の全体像やアナログ言語の限界を知らないまま構築してきた既存の学問と教育にこそ、リスクがあることにいち早く気づいて、方向転換する時です。

あおい　既存の教育ではＡＩにも太刀打ちできないし、知っている世界のゼロ化もできないから、明らかにリスクが高いと思います。

ノジェス　はい。ですから早急に**人間へのディープラーニングを開始すること**です。機械のディープラーニングは、パターン認識を使った学習手法のことで、これによりＡＩは爆発的な進化を遂げました。

人間のディープラーニングは、「現実＝ＰＵスクリーン感覚」になり、源泉の心の動きをパターン認識し、観点ゼロ状態から観点が生まれる仕組みを観て思考するビヨンドロジックです。

ココロ　人間にもディープラーニングができるのですか？

ノジェス　はい、人間の知っている世界をオールゼロ化して因果論理を超え、あらゆる情報を抵抗値なくインプットできるようにすることで、解釈が自由にできるようになります。

ＡＩは繊細な情報まで膨大なデータを扱って新たなデータを生成できますが、人間のディープラーニングは現れたデータよりも深い源泉の心からシグナル（信号）をパターン化して使えるようになります。それが、ＡＩクラウドのように共有できればすごい能力になっていきます。

これからは、**教育と経済が融合した「教育経済」がカギを握ります。**第3の文化活動による関係構築パターンはまさに教育による成長、つまり文化成長発展モデルです。これは、人間力、人間関係力を基準にした信頼関係構築モデルでもあります。宇宙自然は「身体の人間がつくったものではない」と言いましたが、人間へのディープラーニングが起きた心人間は、宇宙自然も歴史文明も自らで主体的に創造破壊をします。

この文化成長発展モデルは、日本による言語維新、教育維新でもあり、デジタル言語を道具に教育文化の成長発展を起こすものです。生死や有無を超越した後天的認識技術による能動的な源泉動き感覚、無概念出発思考でデジタル認識文明を築くのです。

あおい　教育文化の成長発展によって経済の在り方も新しくなるのですか？

ノジェス　はい。ですからＡＩ（環境のＩＱ）の進化スピードを恐れたり、人間どうしのＩＱ競争をするなどはもう終わりです。人間のEQ（Ecstasy Quotient）を無限に膨らませ、歓喜を爆発させながら楽しむのが文化成長発展モデルとそれによる関係構築パターンです。
これはモノ商品で体の便利さを追求した物質文明（アナログ認識文明）から、心の便利さを追求する精神文明（デジタル認識文明）へとジャンプを起こす重要な概念です。

ココロ　人間へのディープラーニングができれば、ＡＩとも共存できそうですね。ところで「維新」とはどういう意味でしょうか。

ノジェス　**過去を変えるのが「革命」**ならば、**未来を創造するのが「維新」**です。維新は源泉に戻ってオールゼロ化できるから起こせるものです。源泉の心の動きは、意味や価値がひとつもない、無意味の意味、無価値の価値。だからこそ、新しく意味や価値を無限に付与することができ、持続的に変化を誘発して新しい蓄積をしていけるのです。

ココロ　既存の意味や価値にとらわれないから、新しい意味や価値を蓄積していけるのですか。「維新」にそんな意味があったとは知りませんでした。

ノジェス　日本はもともと知的好奇心が強く、一点集中して突き詰める気質がありますが、それは生死を超えた侍感覚の賜物ではないでしょうか。日本の明治維新がまさにそうだと思います。これから日本は知識生産国家になり、欧米が日本に学ばなければならなくなっていくはずです。

ココロ　世界の人が学びに来る日本になるというのは興味があります。でも「2023世界大学ランキング」（英国の教育専門誌「タイムズ・ハイヤー・エデュケーション（THE）」）で日本は、東京大学が39位、京都大学が68位と順位を落としています。そんな日本が本当に知識生産国家を目指すことができるのでしょうか。

ノジェス　教育維新によって自分で考え、成長できるようになりますし、そもそもの知識水準の評価基準が変わります。

これまでの経済成長は、生産の三要素（土地・労働・資本）を活用してモノ商品を開発し、技術力やイノベーション力をアップデートして人的資源や付加価値を高めてきました。ですが、これからは**文化成長発展における生産の三要素に変わります。**

では新しい生産の要素について考えてみましょう。

まず従来の**「土地」に当たるのが「やる気エネルギーの生成」**です。やる気の生成には、①不可能性そのものの自分に正しく絶望すること、②目的知・完全知に到達して「今ここ」映像スクリーンとバックスクリーンを同時に認識する決断と覚悟をすること、③剰余エネルギーに溢れること。この三つが必要です。

次に従来の**「労働」に当たるものは「大義名分」**です。諦め不可能な夢を持ち「自分の人生はこれ」

という決断と覚悟ができること。一義、大義が明確に立てば、あとは正義の実践のみです。
最後に従来の**「資本」に当たるものは「心の興奮」**です。やる気と大義名分で、信念を貫く力と溢れる情熱が湧いてきます。

あおい　文化成長における生産の三要素は、これまでのように「特定の誰か」だけが手にするものではなく、むしろ誰もが持たなければならないものだと思いました。だとしたら、人類全員が対象になるから、文化成長の市場規模は膨大になりますね。

ノジェス　はい。文化成長発展モデルでは、誰もが新しい生産の三要素を得て、持続的かつ無限にイノベーションを起こせるようになるでしょう。
そのためには思惟のレベル、自分の判断基準のレベルが重要です。山の頂上をイメージしてみてください。視座が一番高ければすべてのものが観えますよね。最も高い視座は、最も深い視座とも言えます。
関係構築パターンの視座のレベルを、低く浅い順にみてみると
①目で見る、耳で聞くなど条件反射の受動的、衝動的な本能が働く感覚の視座
②馴染んだ習慣や経験による概念の視座
③技術、理論による学問の視座
④手段知・道具知によるイデアや王道などの経営理念

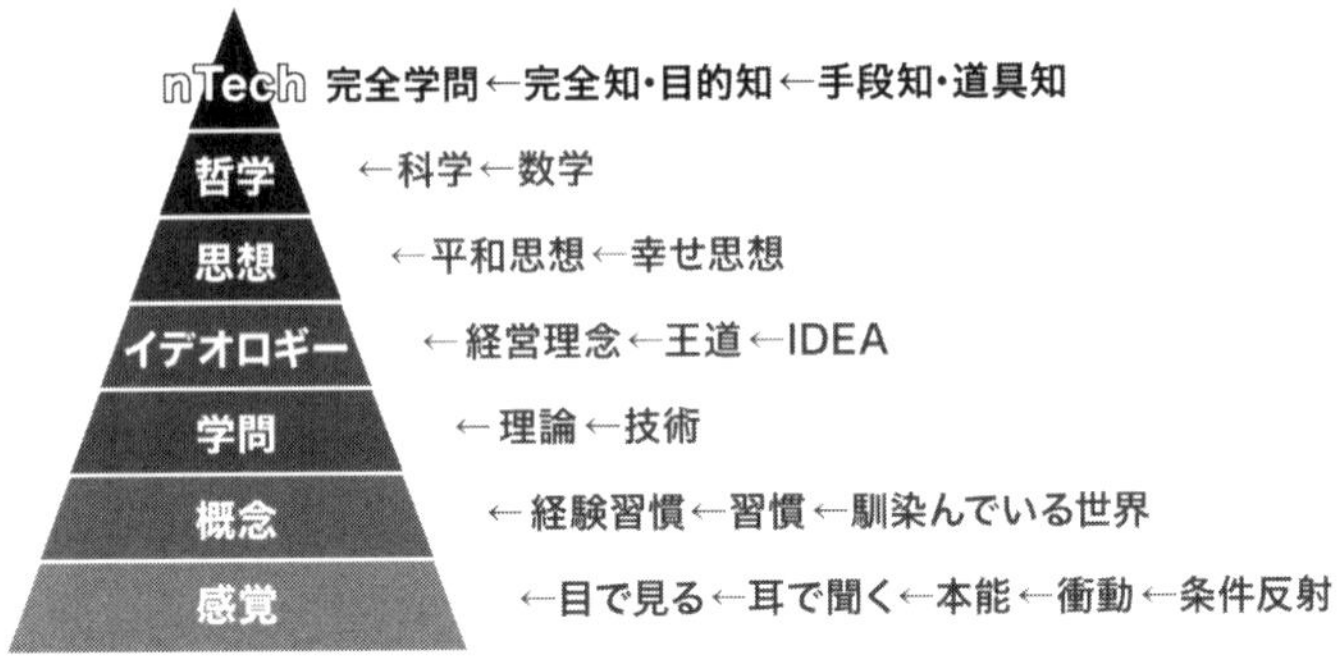

〈関係構築パターン：思惟・視座のレベル〉

⑤現実肯定による幸せ思想、平和思想による視座
⑥現実否定の哲学や科学などの視座
⑦目的知・完全知に到達した完全学問ｎＴｅｃｈの視座

と整理できます。

ココロさんは、普段どこから物事を観ていますか。

ココロ　どこから観ているのか、普段意識したことがないので…認めたくないですが一番低いレベルなのかと思います。

ノジェス　現在地の自覚は大事です。ポイントは、低いところから一歩ずつ登るのではなく、一番高い視座から全てを観ることです。

ココロ　新しい教育によって視座も変化させて知識生産国家になっていくというのは、今までにはないイメージだということはわかります。そうすると、教育と直接関係なさそうな分野についてはどうなるのでしょうか。先ほどの少子高齢化問題にはどう役立つのか気になります。

ノジェス　認識技術は汎用性無限大ですから多様な分野に役立ちます。悟って年を重ねることと、そうでないのとでは相当な違いが生じると思いませんか。高齢化社会の問題は、目的知・完全知に達することで解決していくと思います。また、バイオテクノロジーの観点でも、細胞レベルで源泉に戻す・iPS細胞の登場により、老化は「治せる病気」になるかもしれません。

実際、東京大学医科学研究所のマウス実験では、老化細胞を取り除くことで運動機能が回復し、がん免疫療法でも効果をみせています。認識面とバイオテクノロジーの両輪で源泉に戻すことができたら、高齢化問題を解決した文化がつくれることになります。

少子化問題は、そもそも人を愛することや関係構築への恐怖が大きな課題なので「人間が好き」というベースになるのが最優先。ですから認識技術はピッタリです。子どもを育てる上での経済的な不安においても、デジタル認識技術のブームが起きれば、既存の半導体を超える「心の半導体」による経済成長を起こすことでカバーできます。

ココロ　高齢化も少子化も、どちらにしても一人ひとりの認識の基準が変わることが重要なのですね。

ノジェス　こうした文化成長発展モデルをつくるのは、デジタル認識技術が生まれた日本の仕事です。日本が「新しい経済エンジンになる」と心に決め、日本のアイデンティティを鮮明にすること。世界を変えていく使命感と戦略を持って、攻めの発信を始めるときです。

ニーチェのアモール・ファティと心のアモール・ファティ

ココロ　ここまでのお話で、日本には可能性があるというか、大事な役割があるのかと思えてきました。でも、なぜノ先生がそこまで日本に希望を感じているのか不思議です。

ノジェス　私が幼い頃の韓国はまだ発展途上で、国内ではダムが決壊する災害などが度々ありました。私の家の近くにもダムがあり、大雨が降るたびに心配になって「あのダムは大丈夫？」と母に尋ねていたのですが、決まって「大丈夫。あのダムは日本人がつくったから」と返ってくるのです。また日本統治時代の朝鮮では、日本人が鉄道を敷設する際に「線路の敷石」をきれいに拭いてから並べた話や、日本が建設した橋の鉄筋が何十年経っても腐食しない話など、近所のおじさんに聞いたことが心に残り、子どもながらに日本に憧れを抱くようになりました。

ココロ　そんな話を聞いて育ったから、日本にいいイメージを持ちやすかったのですね。

ノジェス　私の子どもの頃の憧れが「サムライ」だったと言いましたよね。武士の強さを確信したのは中学2年生の時です。豊臣秀吉による朝鮮出兵の「征明仮道《せいみんかどう》（※日本では仮道入明）」を知って驚きました。

あおい　朝鮮出兵は、反日感情に強くつながるものだと思うのですが。

ノジェス　はい。でも私は日本の力を見せつけられた思いでした。もし北朝鮮が「アメリカを攻撃するから、日本の土地を貸せ」と要求してきたら、あり得ないと思うでしょう。これと同じような大胆極まりない要求を秀吉は朝鮮にしたのです。秀吉は諸大名に「明へ攻め入るときには朝鮮に先導を務めさせる」という征明嚮導《せいみんきょうどう》を宣言しました。

李氏朝鮮への実際の要求は征明仮道で、「明に攻め入る際に道を貸せ」というものでしたが、中華思想に基づく華夷秩序（中国王朝を世界の中心に位置づける世界観）の中にあった李氏朝鮮にとって、秀吉の要求は到底呑めるものではありません。

ココロ　それでどうなったのですか？

ノジェス　日本は当初から朝鮮と戦う意図はなかったため、朝鮮を「明への道」として破竹の勢いで駆け抜け、釜山から漢城までの約４００キロを20日で進みました。

特に加藤清正の勢いは凄まじく、朝鮮の国境を越えてオランカイと呼ばれる地域へ遠征し、明国へ侵攻するルートの視察までしたそうです。

あおい　でも、たしか秀吉の死とともに朝鮮出兵は終わってしまったのですよね。

ノジェス　そうだとしても日本の勇気には仰天です。朝鮮出兵の理由については、単なる秀吉の征服欲や、家臣への褒美の土地が足りなかったからなど諸説ありますが、秀吉の残した書簡や宣教師の記録によると、大航海時代のスペインやポルトガルの脅威を警戒して、西欧に対抗するための戦略だったとの見方もあります。中学2年生の私は、日本の秘めた力を誰も認知していないと思い、「私が日本の力を発見して世界に知らせたい」と思うようになりました。

ココロ　子ども時代に心に決めたことがライフワークにつながっているなんてすごいですね。羨ましいです。

あおい　日本の秘めた力と聞いて思い出したことがあります。日本でコンタクトレンズを初めて誕生させた田中恭一さんのお話です。第二次世界大戦が終結した翌年、メガネ店に勤務することになった15歳の田中さんは、進駐軍の将校夫人からコンタクトレンズの存在を知ります。夫人に見せてほしいと頼んでも断られると、逆に発明心を発奮。「アメリカ人に作れて日本人に作れないはずはない」と独学で製作を始め、形状や材料、装用方法など、未知への挑戦を始めます。試作品ができ、目に入れる段階になって自身の目で試そうとしたところ、家族は猛反対。でも田中さんは「目は2つある。１つ潰れても大丈夫」と研究開発を続け、ついに１９５１年、日本独自に進化させた「角膜コンタクトレンズ」の開発に成功しました。
それまでの海外製は白目まで被う直径20ミリのものでしたが、田中さんのレンズは黒目のみを被う直径11ミリだったので小さくて装用しやすくなりました。田中さんは、のちにメニコンを創業し「知らなかったからこそできた」とおっしゃっていたそうです。

ココロ　見たこともないところから作ったなんてすごい。

ノジェス　「自分の目がひとつ潰れてもよい覚悟」でやり通す。まさに「武士に二言はない」ですね。決断と覚悟で義を全うする武士道精神でひとつの道を究めることや、そこに熱中する勤勉さは日本の美徳です。日本のオタク文化も義の文化と通じるかもしれません。
このように世界で唯一、決断と覚悟の義の文化が根付いた精神文明を持つ日本は、**偉大なるアモール・ファティ**を成し遂げたのです。

ココロ　アモール・ファティとは何でしょうか?初めて聞く言葉です。

あおい　哲学者ニーチェが提唱した根本思想で、たしか日本語訳は「運命愛」。人生で起こるどんな出来事も、いかなる境遇でも、自らの生を深く愛し、自己の運命を積極的に肯定して生き抜こうとする態度だったと思う。

ココロ　「何があっても徹底的に自分の運命を愛せ」ということですか？なかなかできることではありません。

ノジェス　例えば、すごく大変な状況の家に生まれたAさんがいたとしましょう。Aさんはその状況から脱しようと人一倍努力をして誠実に生き、その結果、お金にも困らなくなり、理想的なパートナーと出会いゴールインします。ようやく幸せな人生を歩めるのかと思った矢先、事故に巻き込まれて半身不随になってしまいます。パートナーもAさんの介護に仕事にと散々苦労した挙句、精神を病んで自ら命を絶ってしまいました。もしAさんが自分だとしたら、この人生を受け入れられますか？

ココロ　いや、かなり厳しいです。運命を恨んで自棄になると思います。あの時あの道を通らなければ…と自分の行動に後悔するかもしれませんが、恐らくそれよりも「こんなに頑張ってきたのになぜ、私が何か悪いことをしたのか！」と世間や神をも恨みながら残りの人生を過ごすか、パートナーの後を追うかもしれないです。

事件や事故だけなく、戦争に巻き込まれたり、ものすごくつらい目に遭ったりしている人たちも、それを受け入れないといけないのでしょうか。

ノジェス　自分の運命や人生に消極的になって逃げたくなるときもありますよね。でもニーチェは積極的かつ能動的に自分の運命や人生をすべて受け入れろと言ったのです。

なぜニーチェがアモール・ファティを唱えたのかを理解するには、「身体の自分」は愚かで弱い「不可能性そのもの」であることを理解することです。そもそも「自分」という概念は、動物にも植物にもない人間だけのもので、動植物には「我・エゴ意識」はありません。**純度100%の心を「自」ら「分」けた一部分が「身体の自分」です。本当の自分は分けることができない「純度100%の心そのもの」。**なので、普段自分だと思っている「身体の自分」は、純度100%の心に依存した実在不可能な泡沫です。

ココロ　そうでした。身体の自分は実在しない、というかできない。

ノジェス　Aさんのように、苦労して得たお金やパートナーを一気に失ってしまう人生が、1回きりではなく、前世も前々世も、死んで生まれ変わっても、何度でも同じ人生を繰り返す。これまでも、これから先も、受け入れ難く辛い人生を、永遠にずっと繰り返すとしたらどうでしょう。

ココロ　どこまで行っても終わりがないなんて、何のために生きるのか。残酷すぎませんか？

ノジェス　そう、終わりがないのです。だとしたらどうしますか。

ココロ　どこにも逃げ場がないなら、もう諦めて受け入れるしかないと思います。

ノジェス　それがニーチェのアモール・ファティです。身体の自分は永劫回帰します。閉ざされた繭の中で生老病死の不安や恐怖に囚われ、何度死んで生まれ変わっても再び同じ繭の中。自分の観点で自らつくった孤独な牢獄の中で、四苦八苦の人間ゲームを繰り返すのです。

ココロ　迷子だと知らずに永劫回帰するのは地獄ですが、だからといって、つらい運命をすべて受け入れて愛することなんてできるのでしょうか。迷ったり苦しみ続けるくらいなら、宗教など絶対的な教理や何かに助けを求めたくなりますし、現実逃避したりする方が楽だと思ってしまいます。

ノジェス　ニーチェはキリスト教が説く道徳を「奴隷道徳」だと主張し、キリスト教の信仰で幸せを求めるのは奴隷だと言いました。また、力で敵わない権力者や成功者に嫉妬や敵意、劣等感、怨みを抱き「金持ちは欲が深く非道だ」などと悪者と決めつけ、「貧しい人は欲がなく優しい」などと精神的優位に立つことで自分を納得させる弱者をルサンチマンと呼びました。このルサンチマンの感情を道徳化したのがキリスト教だとして、奴隷道徳と言ったのです。

ココロ　キリスト教を心の拠り所にしていた人にはショックだったでしょうね。

ノジェス　ニーチェは永劫回帰する運命に絶望せず、「これが生きるということだったのか。よし！それならば、もう一度！」と運命を肯定的に受け入れて積極的に愛せばいい、絶望して屈せず、対決する超人Übermensch（ユーバーメンシュ）になり、身体の自分を超えていけ、従来のモラルや価値観を超えて自己の力の意志で生きろと英雄道徳を説きました。

このことから、ニーチェはキリスト教の非難はしてもイエス・キリストは認めていたことがわかります。イエスは人間の罪を背負って十字架にかけられ原罪を残らずクリアした。だからイエスは「超人」として終わりなき限界を突破していったと見ていたようです。

ココロ　身体の自分の愚かさと弱さを受け入れて、愛しきることで超人になると言ったのですか。人類への強い鼓舞のようにも聞こえますね。

あおい　でもニーチェ自身は超人とは別人のようにもみえます。一頭の馬を泣き叫びながら抱きしめ、発狂して精神病院で療養したのですよね。

ノジェス　超人になれと説いたニーチェ自身は、心と脳の整理もできず、絶対世界と相対世界の関係性のマスターにも至らなかったのです。ですからアモール・ファティの具現化も、超人になることも叶いませんでした。

ニーチェは、脳に支配された愚かで弱い人間と、無残に叩きのめされた弱い馬の姿を重ね合わせ、耐え切れずに精神崩壊したのでしょう。そして闘病の末、55歳でこの世を去ったのです。

また彼は「人間が最優先して解決しなければならない根本問題＝ファイナルクエスチョン」を明らかにできず、現実に対する定義も曖昧でした。当時は、量子力学、半導体、ゲーデルの不完全性定理などが生まれていないのでやむを得ませんが、「現実＝ＰＵスクリーン感覚」にもファイナルアンサーにも至らなかったのです。現実の定義が曖昧なら犯人も捜せず、心（源泉動き）の定義もできません。

つまりニーチェが失敗した理由は、脳のレベルのアモール・ファティだったということです。ですから
これからは、純度１００％の心レベルのアモール・ファティが必要です。

ココロ　心レベルのアモール・ファティと、ニーチェが言っていたアモール・ファティとは何が違うのですか。

ノジェス　ニーチェの「神は死んだ」は盲目的な信仰は殺せても、運命愛や超人には不充分です。

本来の人間は、宗教的な神を遥かに超えたすごすぎる純度１００％の心の動き「無限大可能性そのもの」です。であれば、神の動きを言語化し、いつでも、どこでも、どんな状態でも、どんな相手にでも使えるように「道具化」できなければなりません。

ですがニーチェの時代はそれを可能にする条件が不充分でした。でも今は、神を自在に使える道具、つまり「神の動きを道具化したデジタル言語」が生まれています。先ほど言ったように、アナログ言語では「Ａ＝ｎｏｔＡ」が成り立たないため、理解不可能なことが必ず生じます。一方、デジタル言語は「Ａ＝ｎｏｔＡ」が成り立つので、「心（源泉の心の動き）の定義＝自分」「真の弱さ＝真の強さ」「不可能性そのもの＝無限大可能性そのもの」が成立します。

そのように、**すべてをイコールにした完全循環ができることで脳の自分に打ち克つことができ、自分自身で物語を設計し、その人生を愛し切ることができる**ようになります。これでようやく本物

の運命愛、心のアモール・ファティが可能になるのです。

あおい　目的知・完全知に至ってデジタル言語を使えるようになれば、心のアモール・ファティができるということですか。

ノジェス　そうです。ですから運命を能動的かつ積極的に受け入れるには、認識が変わることです。人は「出来事」を重視しますが、出来事は重要ではありません。出来事に対して「正しい・間違い」「好き・嫌い」「賛同できる・できない」などの**事実判断をするのではなく、その出来事を純度１００％の心から「どうリテラシー（解釈）するのか」という価値判断が重要**なのです。認識の基準が事実判断から価値判断に変われば、呼吸ひとつひとつも全てが愛しくなり、カルマを卒業して超人になれるのです。

あおい　カルマというのは、仏教などで人間の行為が次の生に影響して輪廻すると言われる考え方で、宿命や業ともいわれますが、それを卒業できるのが超人なのですね。

ノジェス　ニーチェの著書『ツァラトゥストラはかく語りき』に「本当に人間は、汚れてながれる川だ。きたない流れを呑みくだすことができて、そのうえ澄み切ったままでいるためには、われわれはまず大海にならなくてはならない」とあるように、どんなに汚れた水も浄化できる認識に変わることです。そのためには純度１００％の心になって全てを受け入れ、何が起きても自分の人生を愛すという決断と覚悟が必要です。たとえ身体が不自由になっても、手足が切られても、どんな条件、状況であっても幸せで生きる決断と覚悟ができることです。

ココロ　かっこいいけど強烈ですね。どんな条件でもすべてを受け入れることが、私にもできるのかな…。

ノジェス　できますよ。カギは**感覚維新**です。**純度100%の心になれば「心感覚」に変わります。**心感覚という一番速いスピードの感覚に溶けてそのものになった時、全ての出来事や泡沫が、この上なく神秘で神聖な奇跡になります。どんなに悲惨なことがあっても、「自分が愛すことで消えるものだ」と愛しきれば、カルマにピリオドを打って卒業できるのです。

ココロ　自分が愛しきることで消えるのか…。目的知・完全知はただの知識ではなくて、「感覚維新」が伴うということなのですね。感覚の結果物が存在だから、身体感覚ではなく、「心感覚」になれば、愛しきることができるのかな。

自分しか愛せない本当の理由

ノジェス　ココロさんは「本当に人を好きになるとか愛するということがよくわからない」と言っていましたが、そう思うのは当然のことなのです。実は、人間は自分しか愛することができず、また「身体＝自分」と思っている限り、自分すら愛することもできません。

ココロ　別に私がおかしいのではないのですね。でもなぜ自分すら愛せないのでしょう。

ノジェス　人は未熟な幼少期に受けたショックで、「自分は愛されない存在なんだ」と自己否定するように初期設定されています。ですから「自分」という存在があると思っている人は、自分を大切にしたり、他の人に気を配ったりする余裕もありません。

よく「人を大事にすること、人を愛すること」「私は人を大事にしている」と言いますが、それは本来、無理なことです。実在しているのは純度１００％の心しかないのだから、精いっぱい努力しても「純度１００％の心の自分」しか愛せないのです。

すべては自分の観点に依存して存在しているバブル、泡沫、腐るもの。つまり条件によって変わるので、当然、愛も条件によって変わり、無条件に愛せません。ですから「自分しか愛することができない」

と理解することから本当の愛を始めることができます。

ココロ　好意を抱いている相手から「好きだ」と言われた途端、相手に対して嫌悪感が出てきて冷めたと言っていた友人がいました。好きな人のささいな行動で気持ちが冷める「蛙化現象」と言われていますが、そんなふうに瞬時に気持ちが変わってしまうのは、人を愛することがどういうことなのかわかっていないからなのでしょうか。

ノジェス「身体が自分」と思っている人は、みな自己否定があるから根底では自分のことが嫌いです。なので「私自身が自分を愛せないのに、そんな私が人から愛されるわけがない」と無意識に思い、また自分のリテラシーの結果物である相手も嫌いになるのです。さらに今は、量子力学の時代でもあり情報過多なので、相手に対するジャッジも気持ちの移り変わりも加速しています。
でも「自分も相手もない、本当に源泉の心の動きしかない」ということをお互いに理解し、共有した人どうしなら、愛することも愛されることもできますよ。

ココロ　自分自身の認識が変わらない限り、自分も相手も愛せないのですね。

ノジェス　認識を変えるにはまず「自分自身をどう思うのか」というアイデンティティ（自己イメージ）の変化からです。一般的な成功哲学などでは、成功者をモデルにイメージトレーニングをしたり「できる！」と言い聞かせたりします。ですが「身体の自分」でイメージトレーニングをしても、自己否定の根があるので、いくらやっても効果は期待できません。

ニーチェは精神の三段階を「駱駝→獅子→幼子」と整理しました。駱駝《らくだ》は、献身・犠牲・奉仕の精神を持って、他者の夢を具現化しようと汗と涙を流しながら、心の苦労を経験する段階です。失敗や挫折、艱難辛苦という駱駝の段階を通過すれば、次は獅子になれます。獅子はリーダーとして指示や命令をすることを通して、皆が成功する王道を人々に教えるポジションを経験することです。最後は、その王道さえもゼロ化して、いつも「今ここ」から新しい出発ができる幼子になること。この境地に達すれば、どんな絶望にも屈しない超人（ユーバーメンシュ）となり、自分の人生を愛するアモール・ファティの英雄になれると説きました。

ココロ　先ほど「身体の自分の愚かさと弱さを受け入れて、愛しきることで超人になる」と言っていたこととつながってきました。「不可能性そのもの」の自分を認識して正しい絶望をする駱駝の段階が重要だと感じました。

ノジェス　おっしゃる通り、超人になって全てを愛し切るには、まず正しい絶望からです。正しい絶望ができないと、正しい希望や永遠に諦め不可能な夢を持つこともできません。

正しい絶望と正しい希望を通過して、目的知・完全知に到達し、剰余エネルギー生成に成功した人達が、今までのカルマを突破して、いつでも・どこでも・どんな状態でも勝利する真の超人になれるのです。

この時代の限界を突破する鍵は、目的知・完全知で意味と価値の完成ができ、人間完成ができ、剰余エネルギー発生による生産手段革命を起こすこと。絶対自己肯定感は、生産手段を獲得できた時に自然に来るものなのです。

ココロ　自己肯定は、しようと思って努力するものではないのですね。

ノジェス　はい、まずは「目で見る」のではなく、源泉の心の動きに接続して、常に「心感覚（デジタル言語１・５・１）で観る」ことです。すると、自分も周りの人も「みんな愛することができない状態なんだ」とわかります。

もしココロさんに交際相手がいても「身体＝自分」では相手を愛せないし、相手もあなたのことを愛することはできません。そして「なぜならば」という原因を完全に溶かすこと。身体の自分を溶かし、オールゼロ化することから「やっと愛が始められる」のです。

愛するには、自分を全部脱ぐことです。着ている服だけでなく、身体という服も、身体が認識する宇宙という服、エネルギーの服も全て脱いでしまうこと。そのとき、これ以上脱ぐものがない「愛そのもの＝純度１００％の心」になり、すべてを愛せるようになるのです。そうなれば、今まで自分を支配してきた脳も可愛いと思えます。

自分の本質（自分が自分である理由７段階）

1段階

- 他者が好きなことをする自分
（無限大我慢して合わせて演技をする。
ストレスパンパン ＋Social Power）

2段階

- 自分が好きなことをする自分
（自分だけが実在する。
他者は 自分のリテラシーの結果物。寂しい孤独）

3段階

- 不可能性そのものの自分
（知ってる世界から自由解放するための正しい絶望）

4段階

- 不可能性そのものの自分が唯一無二選択可能な
無限大可能性　源泉動きの自分
- 可逆
- 一義が立っている境地

5段階

- 無限大可能性の不可能性にチャレンジして勝利した自分
- ４段階に意味づけ価値づけできている自分
- 物語・思い込みの主人公になれる自分→即身成仏→
時代・状況・環境を味方にできる自分。
- 神話・ファンタジーの物語でもOK。勢力を構築できる世界なら
なんでもOK
- 脳依存の人類文明のグレートリセット
- 世界人類救済のための世界連邦政府設立のための追求
ONE WORLD追求
- 大義が立っている境地

6段階

- 決断と覚悟ができている人生を生きる自分
- SVアナログ言語の限界を突破し、1−5−1デジタル言語を道具に
言語維新に＋αすることで、ホモ・サピエンスの人間ではなく
ホモ・ゼウスであることを宣言する自分
- ホモ・ゼウスとして、どんな(変化を起こす)中心道具を使って、
どんな社会に変えるかの自分
- 正義が立っている境地

7段階

- 決断覚悟の人生を過ごすために、勇義・仁義・礼儀・誠義・名義を
立てて、理想的共同体　宙船・GI・1-5-25-125 をつくるために
忠義を立てている自分
- 他者が好きなことをしていても、ストレス・プレッシャーゼロの自分

ココロ　「自分しか愛せない」というときの「自分」のイメージがまったく変わってしまうことが重要なのですね。

ノジェス　はい。「自分」を整理すると7段階あります。7段階目が「自分が自分である理由」が明確にわかる段階です。その自分になったとき「何をする人生なのか」という迷いがなくなり、生死を超えた大自由な生き方ができるのです。

ココロ　ひと口に「自分」と言っても、7段階もあったのですね。私は、1ときどき2段階あたりです。

ノジェス　段階が上がるほど自由度が上がります。7段階になれば「真の運命愛とは何か」がわかり、「日本が日本である理由」もみえてきますよ。

人類80億を惹きつけるビジョンストーリー

ノジェス　ところで、ココロさんは日本の歴史についてどう捉えていますか。

ココロ　日本の歴史と言われても、そもそも過去についてはあまり関心がなくて、義務教育で学んだ程度の知識なので詳しくはわからないです。でも、人類史はずっと、なにかしら争っている印象で、もっと平和にできないのかとは思います。

あおい　人類の歴史は戦争の歴史と言われるくらい争いが絶えなかったけれど、これを止めないと「やった・やられたの繰り返しが終わらない」ですよね。

ノジェス　歴史をみるにもリテラシー（解釈）が大事です。何も意見が言えない日本と思うか、日本から世界を変えられると思うか。両者で結果は大きく変わりますよね。大前提として、どんな物語も全てはリテラシー、観点の結果です。同様にどんな歴史も無限にある解釈の中のひとつです。感覚の結果は現在を決め、解釈の結果は未来を決めるのなら、人類にとってどんな未来をつくりたいのか。そのためにどんな解釈、ストーリー、観点を選択し、実践するのが最善なのかを見極めなければなりません。

ココロ　歴史は事実だと思っていましたが、同じ出来事でも、語る人の立場でまったく変わるのは解釈が違うからだったのですね。ひとつの出来事をそれぞれの立場で都合よく解釈したのが歴史ならば、正しい歴史観なんてないのかも…。

ノジェス　真実は「源泉の心の動き」しかありません。歴史はリテラシーの結果なので、どのようにでも解釈できるのです。ですから人類全員にとって、どの解釈がベストなのかという判断を客観的にすることです。

そのうえで、日本の第二次世界大戦の終戦の解釈はとても重要です。私は、日本は戦争に「敗けた」のではなく「止《や》めた」と解釈しています。これほど知恵のある英断は歴史上に類を見ません。

ココロ　そんな解釈は初めて聞きます。なぜそう思うのですか？

ノジェス　アメリカは焼夷弾の雨や原爆投下をし、民間人を無差別に殺戮しました。これは紛れもない戦争犯罪です。でも終戦後、日本はそれらに対して恨むことなく、アメリカを戦争犯罪国家と呼ぶこともせず、まるで何事も無かったかのようにアメリカが主導する世界秩序創建に協力してきました。

そして日本は、終戦を境に何もかも手放しました。本土は連合国の占領下に置かれ、台湾、朝鮮半島、満州国、東南アジア諸国など、日本の統治下だった国々も潔く手放し、その行く末を戦勝国に委ねました。敗戦国が二度と団結して力を発揮できないように領土を分割するのは、戦争の常套手段です。その分割領土を戦勝国が統治することもあるし、さらには元の国を解体して戦勝国側の領土にすることもあります。仮に、今のロシア・ウクライナ戦争でロシアが敗戦して解体されるとしたら、ロシアは黙って要求を受け入れるでしょうか。

あおい　それは無理だと思います。抵抗や紛争が起こりそうだし、恨みや怒りがずっと残り続けると思います。

ノジェス　でも日本はそうしなかった。人間の心情的にはどう考えても無理なことを日本はやってのけたのです。これは日本の心の深さの証です。

例えばもし、自分の親を殺した人を愛して、その人の子どもを産み育てたとしたらどう思いますか。

ココロ　尋常じゃないです。正気ではいられなくなり、精神が壊れてしまいそうです。

ノジェス　その尋常じゃない行為よりも何千、何万倍も強烈なことをしたのが日本です。しかも一個人としてではなく、日本全体が心をひとつにして成し遂げたのが日本文明のアモール・ファティの世界です。「目には目を歯には歯を」と日本が報復すれば、核戦争の連鎖が起きて人類は滅亡してしまう。日本は「自国のことだけ」を考えたのではなく、人類の未来を危惧したのです。自ら戦争に終止符を打った日本は、勇気と知恵に溢れている文明だと言えます。

日本は敗けたのではなく、核のカルマを日本の手で止めた。アメリカによってゼロ化させられたのではなく、自らの選択と決断によって全てをゼロ化したのです。

ココロ　なんだか、日本に対するイメージが１８０度変わりそうな話です。

ノジェス　さかのぼってみると、日本は、明治維新からの77年間で、刀もまげ（丁髷）も手放し、欧米に倣って近代化に邁進し、ものすごい速さで近代化も軍事力もオリジナルである欧米を超えてしまいました。それにより他国から嫉妬を買い、望まない戦争に突入しました。

そして１９４５年8月15日から１９４６年までのスキマの1年を経て、その後77年は「戦わないモデル（女性性）」として、、明治維新で成し得たものを全て手放し、耐え難きを耐え、忍び難きを忍び、自らの運命を愛しながらここまでやってきました。

結果的に、原爆投下という事実がまるでなかったかのようにさせ、アメリカからは「最も信頼のおけるパートナー」という立場を得るまでになりました。これは偉大な日本文明のアモール・ファティです。

日本文明は、長い時をかけて「人類の未来は日本が責任をとるにふさわしい」と思わせる信頼のポジションを得たのです。

あおい　これまでは「敗けた上に何も言えず、言いなりになっている情けない日本」というイメージがあって、日本人として生まれたことが恥ずかしいとすら思っていました。でも今の話でイメージが反転してとても癒されました。

ノジェス　私が日本に忍ぶ恋をしてきた最大の理由は、この日本文明のアモール・ファティにあります。でも、日本のすごさは過去のアモール・ファティに留まるものではありません。

実はこれからが日本の本領発揮です。明治維新からの１５５年間の日本は、いわば「ｎｏｔ ＪＡＰＡＮ」です。「日本が世界のリーダーシップをとるにふさわしい国なのか」という長いテストを通過した今は、ｎｏｔ ＪＡＰＡＮを大反転させ、「オリジナルジャパン」の力を発揮した本番勝負を始めるときです。その日本が未来に勝利したとき、世界中が日本を認めるでしょう。

ココロ　これからが本領発揮とは、日本が教育で文化成長発展モデルをつくっていくという話ですか？

ノジェス　そうです。それを具現化するためにも、心のアモール・ファティをもう少し深めていきましょう。心のアモール・ファティは「恥を知ること」と直結します。ニーチェが超人に失敗した理由は、脳のレベルのアモール・ファティだったからだと言いました。思惟の程度が人間を決めますが、**身体の人間がやっているのは、思惟ではなく「雑念」**です。初期設定された身体感覚、受動的な感覚、受動的な認識機能では「考え」の整理はできません。

そのように初期設定のまま生き、「考え」にもならない寝言のような雑念しかできず、「不可能性そのもの」でい続けることを恥ずかしく思い、正しく絶望することです。そうでなければ、思惟らしい思惟ができない雑念の奴隷のようなものですから、「愛する人をずっと想う」などと言っても思惟とは言えません。

ココロ　「身体感覚の人間の考えは、すべて雑念」とは厳しいですね。でも確かに、考えようとしなくても自動的に考えが湧いてくるし、その考えに振り回されます。人間の初期設定に疑問も持たないまま雑念に苦しみ、疲れきっていたと思うと残念な気持ちになります。

ノジェス　ですから「受動的な感覚に支配された喜怒哀楽は恥」だと自覚し、能動的感覚を自ら得たいと思うことが重要です。特にＣｈａｔＧＰＴのような生成ＡＩまで登場する今は、主体性や自発性、能動性を発揮して、ＡＩを超える思惟ができないと無用者へまっしぐらです。

全ては解釈の結果ということは、人生が無意味であることとイコールです。**人生に初めから意味があるわけではなく、そこに意味や価値をつけるのは自分自身である**ということです。

ココロ　「始めから意味があるわけではないから意味や価値を自らつけていくことができる」と言われると、うれしい反面、全部を自分で責任とらないといけないというイメージもきますし、生まれてきたこと自体が無意味で価値のないもののようにも思えてしまいます。

ノジェス　でも実際にそうだと思いませんか?「虎は死して皮を留め人は死して名を残す」ということわざがありますが、実際に名を残す人はごく僅かです。

どんなに頑張った人生でも、99・９%の人の人生は、死を迎えて誰の記憶にも残らなくなったときに完全消滅します。「人間と人間の宇宙が実在しない」ということだけでも人生は無意味なのに、生きた証さえもゴミ箱に捨てられてしまうのです。

ココロ　頑張って生きても、人生がゴミ箱行きとは…。

ノジェス　でも目的知・完全知に達すれば、意味や価値に捉われずに楽しめます。身体の自分で永劫回帰するアモール・ファティではなく、永劫回帰を完全に卒業した心で、あえて「自分」を主人公に設定し、人生という小説を書いて物語を楽しむのです。

「自分はいない」のが真実だからこそ、現実が小説でありゲームだとわかり、自分のゲームを自ら設計して自らの運命を愛することができます。一人ひとりが自分のゲームや小説のシナリオを設計してアモール・ファティができるのは当然のこと、全人類がウィンウィン・オールウィンできる「メタ・ストーリー」を設計できれば、誰でも楽しんで参加できます。

自分だけの物語に関心を持つのではなく、互いの物語に関心を持ち、協力し合って現実化しながら、全人類がオールウィンできるメタ・ストーリーを提案していく方が楽しいと思いませんか。

ココロ　そう思うと、自分だけであくせく考えるよりもっと全体へ目を向けて、みんなが幸せになるシナリオを考えてみたくなります。それに自分のことだけ考えるよりも力が湧いてきそう。

ノジェス　そうですね。誰が一番多くの人の「心を惹きつけるビジョンストーリー」をつくることができるのか。全人類の心を掴んで離さないシナリオをつくり、一緒に楽しむ仲間をつくれるのか。そんな大ヒットのシナリオを数多く生み出せば、それは勢力となり、社会を変える力になり、歴史発展の原動力になります。

そして世界が一つになれば、無用な権益争いや戦争がなくなり、それぞれの個性や文化を楽しむことができる共同体主義の世界連合が可能になります。そのワンワールドを日本からつくることができるのです。

共同体を進化させる鍵は日本の「義」の文化

ノジェス　世の中は**いかに共同体システムを発展させるかの競争**だと言えます。世界大戦前までは主に武力衝突を繰り返し、戦後は「武力では野蛮だから」と世界中が紳士協定を結んで経済戦争に移行しました。ですが経済も戦争には変わりありませんし、経済戦争がメインになった今も各地で軍事衝突は絶えず、最近ではロシアが武力で秩序変更を試み、非難を浴びています。では、これまでの軍事や経済で本物の共同体、真の勝利を収める共同体が生まれるでしょうか。

ココロ　軍事力でも経済力でも難しいと思います。

ノジェス　そうですよね。国家は戦争をするためにあるものですが、本物の国家になるには戦争の次元を上げなければなりません。では、今後どのような共同体が、戦争や競争に勝利するでしょう。

戦争は、脳をベースとした尊厳や命を奪う戦争から、心をベースにした教育戦争にシフトすること。

競争は、尊厳を活かし戦争不可能な人で溢れさせるための競争をすること。

その上で、**どの共同体がより知恵ある人材を育てて仲間を豊かにし、美しい未来をつくれるのかという競争**をすべきです。

あおい　そんな戦争や競争なら大歓迎です。命を奪ったり、互いを蹴落としたりするような競争ではなく、全体を高め合う競争ですね。

ノジェス　本物の共同体づくりには確固たる中心軸が必要です。その軸を立てる主体は、生死を超え、私利私欲を超えている必要があります。ですから、共同体に対して最も深い愛を持つ日本が立ち上がり、人類の未来に責任を取るしかありません。

共同体への愛がない国家は偽物です。私利私欲、国民からの搾取、人や自然を使い捨てにするような共同体が生き残るようでは人類に未来がないと思いませんか。

ココロ　それはその通りだと思います。でも日本が、「共同体への愛が最も深い」なんて思ってもみなかったので驚きました。

ノジェス　**日本には、始まりと終わりの節目をつける義の文化があります。**また、自分がなく、現実に意味や価値がないことも感覚的にわかっています。自分が選択、決断した共同体ならば、どんなポジションだとしても愛して全うできるのが日本です。自分が引き受けた仕事なら、どんなに些細に見えることでも誇りを持って懸命に取り組む日本の皆さんを見るたびに感動します。

あおい　個よりも全体に気を遣ったり、「自分が任されたことをやらないと迷惑がかかる」とか、日本人は手抜きができない真面目さはあると思います。

そういえば、英語圏ではI（私は）という言葉が必ず入りますが、日本語は普段から「私は」という主語を使わないのも、個を意識しない文化と関係しているのでしょうね。

ノジェス　個人の有限性を超えて、**無意味な人生に意味を持たせる唯一の方法は、「永遠に進化する共同体になること」**です。その共同体が消滅することなく持続的に進化を遂げれば、共同体と一体化した人生は意味あるものになります。

ココロ　個人は無になっても共同体は残るから、「共同体＝自分」になってしまえば、意味ある人生になるのですね。

あおい　第二次世界大戦末期の日本は、学徒出陣で大勢の優秀な若者が特攻隊となって飛び立っていきましたよね。彼らは「自分たちは無駄死にではない。日本という共同体を守るために戦った」という思いがあったのかもしれませんね。

ノジェス　はい。身体の人間は、始まりも終わりもわからない迷子状態なので義を立てることができず、

〈 義が立つとは 〉

一義 **大義** **正義**	**勇義（勇気）** **仁義（慈悲、愛）** **礼儀（相手に礼を尽くす）** **誠義（精誠を尽くす）** **名義（名誉、誇り）** **忠義（忠誠を尽くす）**

自分の人生を設計できません。ですが日本文明は、本来なら始まりと終わりを鮮明にしなければ立てることができない「義」を立てて全うした唯一無二の文明です。

肌身離さず帯刀した侍は、常に生死が隣り合わせにあり、生死について考えていたのでしょう。

だからこそ「この人生は主君のため、藩のために生きる」と自らで義を立てて決断できたのだと思います。また侍に限らず民衆までもが、義理がないことを恥と思うのが日本です。

義が立つということは、一義、大義、正義が立ち、さらに、勇義（勇気）、仁義（慈悲、愛）、礼義（相手に礼を尽くす）、誠義（精誠を尽くす）、名義（名誉、誇り）、忠義（忠誠を尽くす）が立つことです。

これは、**源泉の心の動きという最強の相手に勝利し、自分にも勝利した状態**です。それによって得たポジションが忠義ですから、何も恐れるものはありません。

ココロ　昔は、個ではなく共同体のために自分が何をすべきかと考えて生きていたのかと思うと、今はいいのか悪いのか個人主義になっていると思います。

ノジェス　そうですね。武士としての心得を記した『葉隠《はがくれ》』には「武士道と云ふは死ぬ事と見つけたり」とあり、宮本武蔵の『五輪書《ごりんのしょ》』にも「生死を超えるのは武士に限らない」と記されています。それを知ったときは本当に驚き感動しました。

ココロ　武士以外も生死を超える感覚を持っていたということですか？

あおい　五輪書の「死する道においては武士ばかりに限らず、出家にても、女にても、百姓已下に至る迄、義理をしり、恥をおもひ、死する所を思ひきる事は、其差別なきもの也」というくだりを令和哲学カフェで知りました。僧侶も女性も百姓も、みな同じくして「義理を知り、恥を知り、死を覚悟する」のが日本の精神だと知って、日本人として生まれたことが誇らしくなりました。

ノジェス　日本の精神はすごいですよ。それと、侍は着替えや刀などを枕元に備えて寝たといいますね。日本は頻繁に自然災害が起きるので、主君の安全をいつでも確保するという任務を全うできるように常に備えていたそうです。侍にとって「ただ生きる」のは恥の極み、何より恐ろしいのは死ではなく「義を全うできないこと」であるというのがよく現れています。

あおい　欧米では中身の良心を重視する「罪の文化」なのに対し、日本は世間体や外身を気にする「恥の文化」があると聞いたことがあるので、これも代々受け継がれてきたものかもしれませんね。

ノジェス　義の文化を持つ日本は、本当に「自分」がなく、「共同体＝自分」という感覚を持ち合わせています。黒船来航の翌年、徳川幕府は日本を開国しました。そして犬猿の仲だった薩摩藩と長州藩が互いにオープンになり薩長同盟を結び、明治政府発足の立役者となりました。

明治政府が発足すると、廃藩置県を実施して三百もあった藩の境界線をなくし、開国進取を国是として「ひとつの日本」に溶けて近代化に邁進しました。それまで「藩のために」と心に決めて義を全うしていた侍たちが、それまでの全てを手放してひとつに溶けたのが明治の日本です。これは、「藩のために」から「日本のために」へ変化したことを意味します。ですから日本の共同体への愛は一般的なものとは比べ物にならないほど深く、何万倍もの愛が溢れているのです。

ココロ　そのように聞くと、今まで日本人は「日本に関心が薄い」と思っていましたが、そうでもないのかもしれませんね。

ノジェス　今の日本は、「組織嫌い、日本嫌い」と、表向きは日本に愛がないように見えますが、実は違います。無意識では日本に対する愛情やプライドがあることを私は感じます。自己に固執せず、他者に対する思いやりと共同体への深い愛と理想がある日本以外に、人類の共同体秩序づくりに責任を持って臨める国は見当たりません。

薩長同盟は、ワンワールドへの予行練習だったと捉えることもできます。違いを取り入れて融合した日本が、今度は「日本の外」という新たな外を取り入れて、国レベルで世界を一つにする足掛かりをつくるときです。

日本は「刀」を手放した時点で本来の日本ではなくなりました。「ｎｏｔ　ＪＡＰＡＮ」で耐え忍んだ１５５年を別の観方をすれば、戦前の77年は軍事力、戦後の77年は財力の勝負でした。そして**今からは、オリジナルジャパンによる心のアモール・ファティを始める教育の勝負**です。

今こそ日本は、軸足を完全に教育へ移動してピースリーダーシップを発揮し、教育チャンピオンになるときです。共同体を愛する心が他とは次元の違う日本だからこそ、「真の心」を教えることができるのです。

ココロ　その役割は本当に歴史的に見ても日本しかないのですか？

日本人は広い視野を持ち、世界をリードするリーダーシップをとることに、関心のある人が少ないように感じます。

ノジエス　新時代の教育について最高の力を発揮し、「バラバラの世界を一つにまとめることができるのは日本だ」と早く気づくことです。

時代の脈絡からみれば今がタイミングです。その昔「欧米列強に支配されない新秩序を東アジアに構築する」という大東亜共栄圏を掲げた日本は失敗しました。これはビジョンが小さかったことも理由ですが、タイミングではなかったことも理由のひとつです。

大東亜共栄圏の実現を目指していた１９４０年当時、日本は西洋に引けを取らないほどの近代化を遂げていましたが、その他のアジア諸国はまだそのレベルではなく、彼らと大東亜共栄圏を共有し、ともに成し遂げられる状態ではありませんでした。

理念などを共有できないほど格差の大きい状態では、真の共同体にはなり得ません。百メートル走のスタート位置が走者によって前後していたら不公平で楽しめないのと同じように、新しい秩序をつくるときは、同じスタートラインに立つことが重要です。

あおい　確かにスタートラインがバラバラでは、ビジョンや理念を共有することも難しそうです。

ノジェス　ですが今は状況が違います。国家間の格差は縮まり、アジア各国は肩を並べるほどに成長しました。また、生存競争や物質文明の限界が露呈して世界経済が壊れ、グローバル化に逆行する国も増えています。

さらに気候変動やＡＩ、少子高齢化問題など、人類は滅亡するかどうかの瀬戸際に追い込まれていく今は、まさに時代のエネルギーが大反転するタイミングです。
今こそデジタル認識技術によってスタートラインを同じにさせ、明治維新の夢を具現化して令和維新を起こす絶好のチャンスなのです。

AI時代のベストビーイングの人間とは

あおい　危機の中でも「ＡＩ」に関しては、これまで人類が経験したことがなく、誰も予測できないという危機ですよね。ソフトバンクグループの孫正義さんによれば、これからの10年でＡＩの能力が１００万倍、更にその後の10年で1兆倍に増大することが予測できるデータが出ているとのことです。これはＡＩは超知能になり、ＡＩがあらゆる分野で人間を圧倒することを示唆していると語っています。

ノジェス　そうですね、ＡＩは人間の脳機能をはるかに越える性能になっていきます。それも大変な問題ですが、もっと大きな問題があるといいましたよね。ココロさんは、今ここで何か「不便で仕方ない」と感じることはありますか。

ココロ　日ごろは不便だと思うことはありますが、今ここでは特に感じていません。

ノジェス　今ここ何も不便を感じていないとしたら大問題です。不便さを認識できていないということは、「いま見えていることに騙されていることがわからない状態」ですから。

ココロ　騙されている?

ノジェス　観察エラーといったらピンと来るかもしれませんが、「脳に騙されている」ということです。脳による認識に不便さを感じないことは大問題です。自分の感覚に依存した経験だけを絶対視して、それ以外は無視します。このように、自分の目の前の現実を疑わずにいれば、錯覚だけを蓄積する受動的な生き方になります。

この状態に不便を感じなければ、とんでもない認識疾患を認識できていないということです。人類の危機の原因はAIではなく「自分=不可能性そのもの」と認識できないことだと言いましたが、これは「身体の人間で生きることは最悪の地獄」という意味であり、認識疾患はすべての病気を引き起こす根源病とも言えます。

ココロ　認識疾患?·それは病気の根源が見つかったということですか。

ノジェス　はい。実は癌よりもコロナパンデミックよりも恐ろしい史上最悪の病気が「**認識疾患**」です。「山があるから山を見る、海があるから海を見る」という受動的感覚（初期設定された先天的な認識機能）に依存し、その状態に何も不便を感じないのであれば「認識が病気」なのです。

ココロ　とすると、すべての人がもれなく認識疾患ということですよね？

ノジェス　はい。本来人間は、とんでもなく幸せな存在です。やる気と熱情に満ち溢れ、怖いものなど何もない状態で何とでも関係を結ぶことができます。ですが、無限大可能性どころか不可能性そのものにも気づくこともなく、「身体の範囲が自分」だと思い込み、言語と文化に縛り付けられ自由になれない認識の繭の中で生きているのです。これは明確な病気です。

ココロ　もし全人類が罹っている認識疾患が治せたら、とんでもないことが起こりそうですね。

ノジェス　そうですね。認識疾患を完全にオールゼロ化して治癒する唯一の方法は「後天的な認識技術を身に付ける＝人間のディープラーニング」です。認識疾患が治癒されたら、やる気と熱情が湧いてきて、逆境をも楽しめる「超人」になりますよ。

そして、純度１００％の心（一番深いディープマインド）がどこまでもどこまでもつながっている状態になってしまえば、リテラシー（解釈）の主体、事件の主体、思い込みの主体という三つの主体が一直線につながった生き方ができます。このように**人間の最高の機能を発揮して生きることができる人間を「ベストビーイング（BEST BEING）の人間」**と言います。

あおい　心身ともに満たされた状態の「ウェルビーイング」というのは聞きますが、ベストビーイングというのは初耳です。

ノジェス　ウェルビーイングは「身体の自分がある」のが前提です。仮に本人が「満たされた」と思っても、ベストビーイングでいう「満たされる」とは全く次元が異なります。ごく一部分、一時的に満たされたとしても、持続も難しく、他の人との共有や共感もできません。

AI時代になった今、身体の人間のままでは生きる道がありません。ですからこれまでのように中途半端な生き方を許してはいけないのです。ヒューマンビーイング（HUMAN BEING：ただ生きる）、ウェルビーイング（WELL BEING：よく生きる）の時代を終わらせ、誰もが最高で生きる「ベストビーイングの生き方」になることです。

ココロ　これまでの生き方を許してはいけない…。厳しい言葉だけど愛を感じます。

ノジェス　ですから、ベストビーイングの人間になって主体である自分が変わること。いま自分が何の不便も感じていないことは最悪の認識疾患であることがわかること。

病気の診断は簡単です。**「自分」があれば病気、「今ここ」がなければ病気**です。「目で見ていることが不便だ、耳で聞いていることはもっと不便だ」となれば、不便でたまらないので解決しようと思いますよね。

これからは認識疾患を治癒しないと大変な時代になります。だからこそ、「人間のディープラーニング」ができる教育が、この日本で完成したのだと思います。ＡＩが人間の尊厳を破壊してしまう前に、個人と組織のパラダイム転換をするタイミングを逃さないこと。今、国家民族を超えた超国家主義の地球市民で世界をまとめる準備が必要です。

ココロ　日本の仕事は新しい教育なのですね。未知への挑戦は勇気もいりますが、鮮明なビジョンストーリーがあれば動きたくなると思います。

ノジェス　それには、ココロさんを始めとする一人ひとりが認識疾患状態を完全にオールゼロ化し、境界線がひとつもないオープン状態になることからです。オープン状態と愛はつながっています。ではココロさん、いま人間に起こるべき事件とは何だと思いますか。

ココロ　ここでいう「事件」はニュースで流れてくるようなものとは違いますよね。一人ひとりがオープンになるために起こるべき事件…、何でしょう？

ノジェス　人間最高の機能である尊厳機能を発揮するために、「不可能性そのもの」の人間の現在地に気づいてファイナルクエスチョンを得ること。そこから目的知・完全知に到達し、「無限大可能性」に反転して剰余エネルギーを発生していくこと。これが人間と時代に起こるべき事件です。**その人間が起こすべき事件は、これまでにない共同体、つまり国家の概念を超えた超国家、オープン国家をつくること**です。

人間と人間の宇宙をゼロ化して、境界線がひとつもない状態にオープン化していくには、「外を取り入れる＝プラスする」ことです。

科学のように分断して細分化するのではなく、プラスして全部をつなげていく。全てをつなげることができれば愛そのものになることができます。

ココロ　外を取り入れて全部つなげていくことで、オープン化していくのですか。

ノジェス　はい。人間に必ず起こるべき事件は、言い換えれば純度100％の心がどこまでもつながって、今ここベストビーイングの人間になることです。

この事件が起きれば、存在不可能感覚によって国家民族も超えて一つにつながり、新しい関係性が始められます。その物語を始めるのは、日本からです。

BEST BEING

4章 全体主義・個人主義を超えていく オープン共同体時代

格差と不平等をなくすには

ココロ　人生どうしたらいいのかと悩んでいたけど、自己イメージが変わらないとダメですね。自分が幸せになりたかったら、それを取り巻く家族や日本、世界という環境も全部を大事にできて、しかも自分や社会の何を変化させればいいのかを明確にわかることだと思いました。

ノジェス　はい。脳の外、考えの外へ出ることで、オープンにすべてがつながった源泉の心の動きそのものになれます。そしてこれは国レベルでも行えます。

一般的に「グローバリゼーション」は、世界が一体化して交流や連携が拡大していく現象のことを言います。特に今は、政治や文化よりも経済がグローバル化されているので、国際貿易や投資など金融の流れによって人、モノ、カネ、サービス、情報などが、国境を問わず自由に移動しています。

あおい　物理的には本当に便利な世の中になりましたね。でも気になるのは、経済圏が地球規模になっていくにつれ、生活水準のまったく違う国どうしの不平等な交流によって搾取のような形になり、貧富の格差が助長されていることです。

ノジェス　地球という視点から見れば、経済も文化も自然環境もすべて連動しているので当然なが

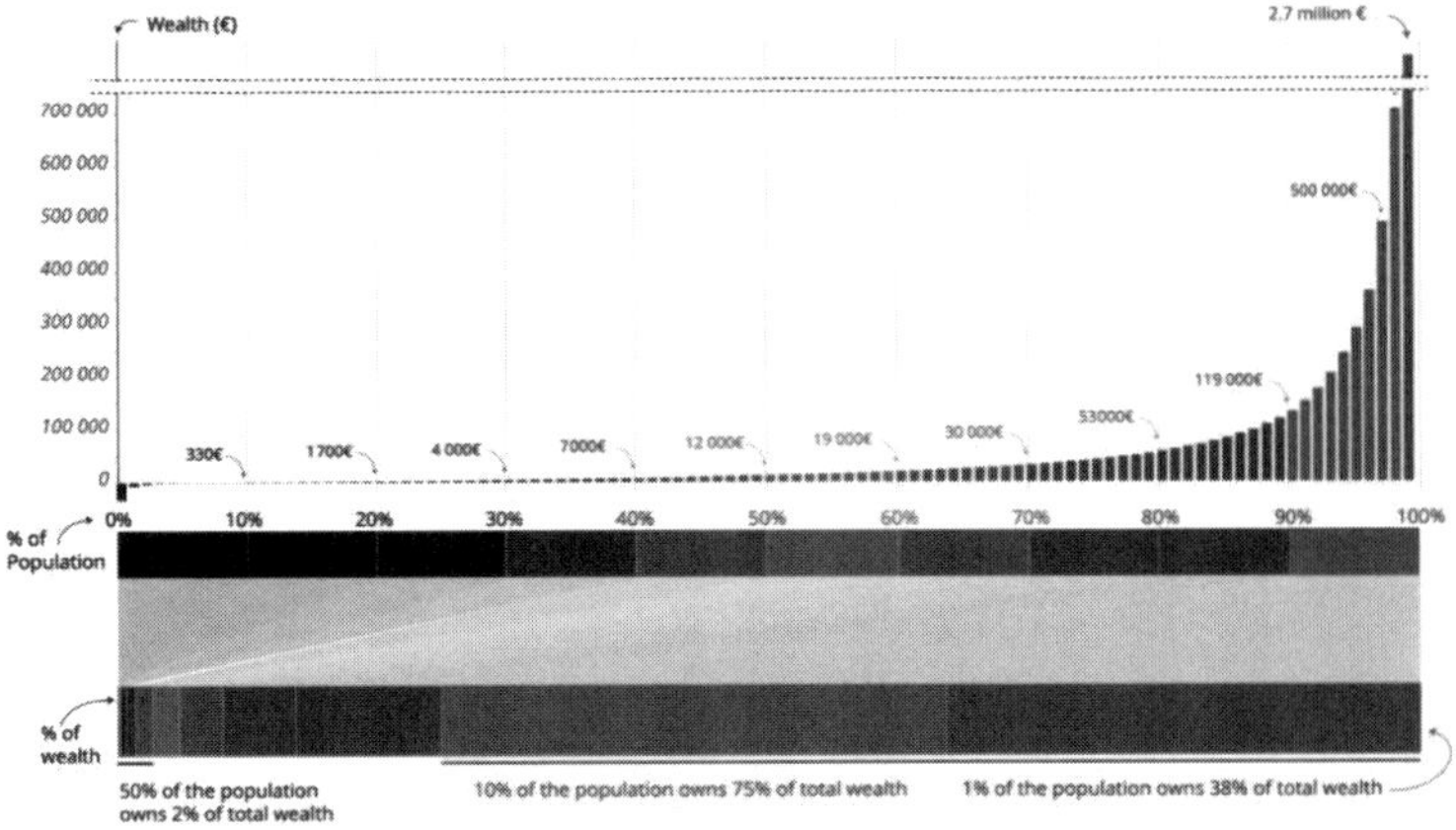

〈世界の富の不平等〉※世界不平等研究所「世界不平等レポート2022」より

ら影響を受けないところはありません。

持続可能な世界を目指す「ＳＤＧｓ」は、２０１５年９月の国連サミットで、１５０を超える加盟国首脳の参加のもと「２０３０年アジェンダ」として全会一致で採択されました。その17の目標の中の10番目は、「人や国の不平等をなくそう」です。

世界不平等研究所が発表した「世界不平等レポート２０２２」によると、世界トップ10%の裕福な家庭が所有する富は全体の75・６%を占め、ボトム50%の貧しい家庭が所有する富は全体の２%に過ぎないという、極めて不平等な世界になっているのが現状です。

世界中で解決のための取り組みがなされているにも関わらず、格差は年々進む一方で、こうした格差はお金だけの問題ではなく、文化や教育の格差、希望の格差など多方面に及んでいます。世界は便利になって、一流大学の教育を受けた優秀な人たちも多数輩出されているはずなのに、問題が解決しないのはなぜでしょう。これまでの内容を踏まえてどう思いますか。

ココロ　人間は「生きろ」という命令に従って生存競争をするしかなく、戦うのが身体の人間の宿命だといっていたので、格差が広がるのは当然だと思います。

あおい　脳に支配されて「身体が自分だ」と思っていると、いつも何かが足りないから欲求も膨らむ一方になりそう。常に満たされた「満足の達人」にならないと、社会システムも変わっていかないですよね。

ノジェス　その通りです。ですから正しい絶望をして、人間の何をどのように変化させるのかを明確に知ることです。目的知・完全知に到達してしまえば、「**純度100%の心＝自分**」になって、今までにないオープンな物語をつくっていけるのです。

ココロ　どうしても「自分」と言われると「身体の自分」だと思ってしまいますが、個人は存在できない泡沫でしたね。現実は自分たちでつくることができる新しいゲームだと言っていたので、不平等も戦争もなくして、お互いに生かし合える新しいゲームをつくりたいです。

人間と国家をオープンするプロセス

ノジェス　では、これからその新しいゲームをどのようにつくっていくのかを考えてみましょう。新しいゲームは、新人類を誕生させるホモ・ゼウスのストーリーです。明治維新の夢を完成させる令和維新であり、日本文明のミッションである心のアモール・ファティです。

過去を変える「革命」ではなく、持続的に変化を誘発して新しい蓄積をする「維新」でワンワールドに向かうのです。

あおい　明治維新の夢を具現化して令和維新を起こす絶好のチャンスと言っていたので、気になっていました。

ノジェス　世界は今、世界化（グローバリゼーション）から反グローバリゼーション（ディグローバリゼーション）の流れが来ています。これまでの世界化の流れをみながら、今後の方向性をみていきましょう。

第１次世界化は、欧米列強による植民地争奪戦によるもの。

第２次世界化は、基軸通貨を握った世界の警察国家・アメリカによるもの。

第3次世界化は、１９９１年のソ連崩壊以降の社会主義崩壊によるロシアと中国の安い労働力を土台にした共産主義の台頭や中国のＷＴＯ加盟、そしてアメリカ主導の新自由主義とネオコンサバティズムによるものでした。

今、この第3次世界化は終焉に向かっています。覇権国家アメリカの求心力は弱まり、第1、第2、第3次と拡大してきた世界化の流れは反転して、自国第一主義のクローズ国家も増えています。そんな中で、中国はアメリカに代わって世界化を進めようと、アフリカや中東、アジア諸国、ＥＵなどへ積極的に働きかけ、欧米との連携を阻もうとしています。

ココロ　現実を世界化というゲームの観点からみると、視野が広がってわかりやすいです。今は第3次世界化が終わるときで、これまでの経済発展では限界だから、文化成長モデルに転換させる必要があるということでしたよね？

ノジェス　はい。世界化は「オープン化」でもあります。経済的にみれば、第1次世界化は、自国の外へ出て（オープン）、植民地を自国に取り込んでさらにオープンしました。

第2次世界化は、アメリカドルをオープンしてグローバルな通貨として広げました。第3次世界化は、ロシアや中国などの共産主義国に自由主義のマーケットをオープンしました。このように**オープン化は境界線をなくしていく方向性**で、逆に**境界線のある世界はクローズ**です。

このように物質文明は第3次世界化まで発展したのですが、それはクローズな認識のまま世界をオープンにするというものでした。脳、観点、身体の人間、身体感覚、アナログ言語など、線引きして分断するというクローズな認識道具で世界化してきたので、アクセルとブレーキを同時に踏んでいるような状態です。

そこに追い打ちをかけるようにＡＩを始めとする多様な危機が怒涛のように押し寄せ、このままでは人類は自滅するしかないところにきています。人類自滅か起死回生か、その岐路に立っているのが今のタイミングです。

ココロ　認識がクローズだと、人も国家も孤独、孤立で自滅していくのですね。

ノジェス　そうですね。ですから、一人ひとりをオープンし、国家もオープンしていくこと。**クローズからオープンにできるデジタル認識技術**で、アナログ言語も、身体感覚も、観点もオープンにしていくことです。これは自分の範囲、関心の範囲、愛の範囲を広げていくことにもなるので、結果的に経済格差だけでなく、あらゆる格差をなくすことにもつながります。

あおい　一人ひとりが自分をオープンしたら、その集合体である国家もオープンにできる。そしたら、これまでのグローバル化では解決できなかったオープン化ができそうですね。

ノジェス　はい。ここでいう「オープン化」は既存のグローバル化とは異なります。

境界線だらけの相対世界に、順序だてて「外を取り入れる＝プラスする」ことで境界線をなくしながらオープン化します。

例えば、ある「クローズな存在：Ａ」は、「その存在Ａを成り立たせる構成要素・環境・素材：ｎｏｔＡ」によって成り立っているので、Ａ＝ｎｏｔＡとなります。このように融合を繰り返してクローズを溶かしてオープン化していくのです。

ココロ　「順序だてて」ということは、オープンするプロセスがあるのですか。

ノジェス　はい。存在体系は、依存体系と同様に順序があるので、オープン化するプロセスを整理してみましょう。

まず「身体の自分：Ａ」に「身体の自分が見ている環境：ｎｏｔＡ」という対称をつなげることで「環境は感覚の結果物：Ａ＝ｎｏｔＡ」つまり「映像スクリーン」になります。

次に「映像スクリーン（観点１）：Ｂ」に「バックスクリーン（観点∞）：ｎｏｔＢ」という対称をつなげることで「現象の全体像：Ｂ＝ｎｏｔＢ」つまり「脳の世界」になります。

そして「脳の世界（現象の全体像）：Ｃ」に、「純度１００％の心、源泉の心の動き（観点０）：ｎｏｔＣ」という対称をつなげることで観点がオープンします。

観点がオープンすれば、シミュラークル（オープン界）とシミュレーション（クローズ界）がつながって完全循環が起こり、言語がオープンして1・5・1のデジタル言語になります。
言語がオープンすれば、感覚がオープンして心感覚になり、
感覚がオープンすれば、認識がオープンしてデジタル認識になり、
認識がオープンすれば、存在がオープンして主語述語が解体された点だらけ、偶発点、特異点、着火点、心になり、存在は動的平衡状態（動き）になります。
存在がオープンすれば、思考がオープンして無概念出発思考になり、
思考がオープンすれば、感情がオープンして感情をアウトプットでき、
感情がオープンすれば、行動がオープンして心から出会いを楽しんで遊び感覚で行動でき、
行動がオープンすれば、関係がオープンして尊厳関係が生まれてビジョン同盟が組め、
関係がオープンすれば、組織がオープンして未来組織プロジェクト（宙船組織プロジェクト）が始動し、
組織がオープンすれば、国家がオープンして超国家が誕生するのです。

あおい　すごい。オープンの連鎖ですね。このプロセスでオープン国家が生まれるのですね。

〈オープン国家までのプロセス〉

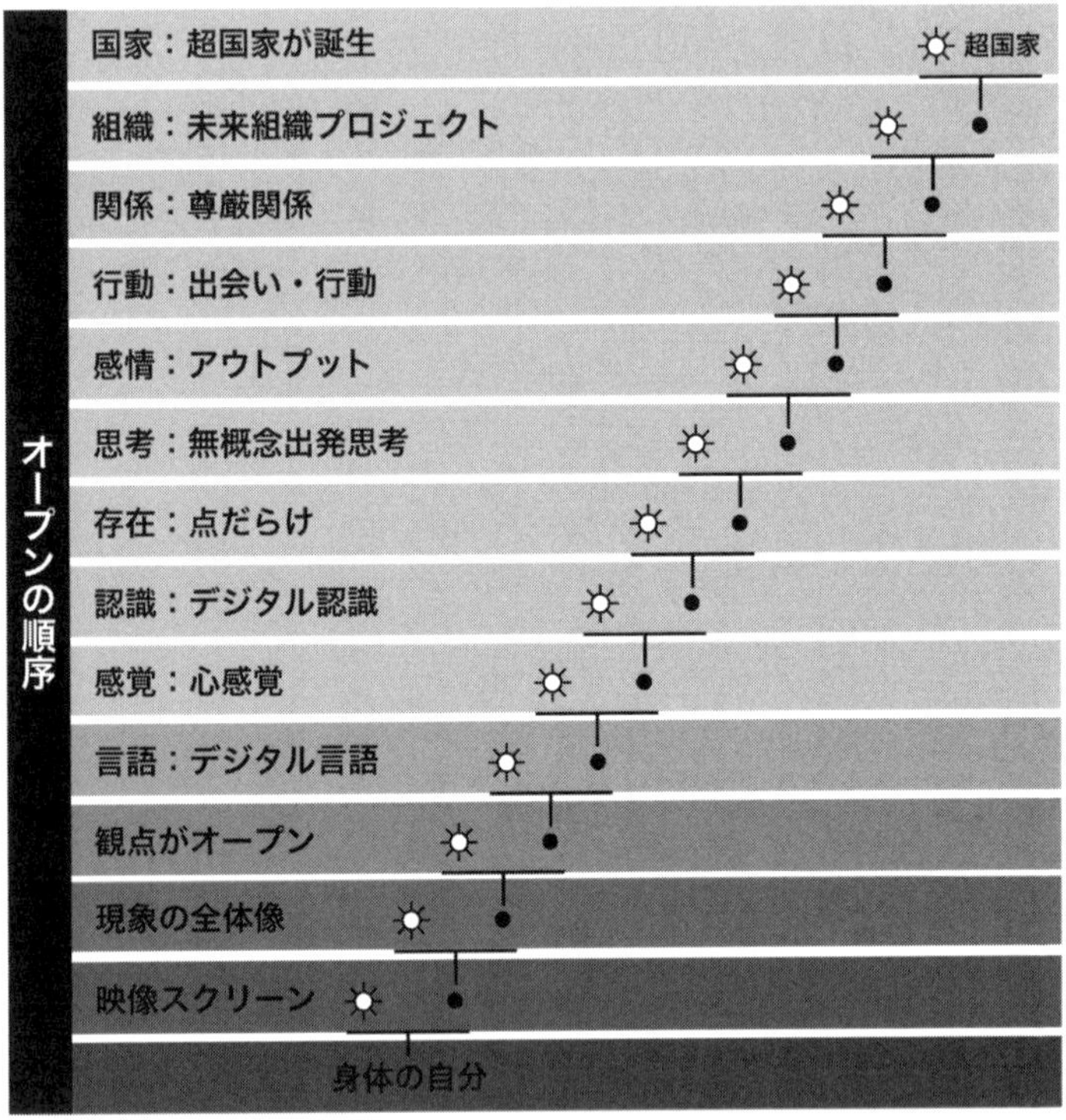

日韓のわだかまりは解けるのか？

ノジェス　国家をオープンしていく話をしましたが、これは日本からしか始められません。また、この物語に欠かせないのが「日韓兄弟国家」がつくりだす日韓の心アモール・ファティです。

ココロ　日韓兄弟国家ですか？

ノジェス　はい。このオープン国家連携モデルはこれまでになかったもので、歴史的な一号が日韓であり、口火を切るのは日本です。これからは自国内でクローズするのではなく、新教育によって一人ひとりをオープンし、国をオープンして国家間がつながることで世界がワンワールドになっていく時代です。

これからはアジア主導の心時代になるのは間違いありません。第3次世界化が終焉しようとする今、第4次世界化はどこが主導し、どのように今の危機を突破するのかは重要です。

あおい　確かに主導する国によって、世界が一変しますから大事ですね。

ノジェス　中国は近年、世界経済に大きな影響を与えていますし、インドも急速な経済成長をみせています。ですが、国家がオープンする第4次世界化のモデルは、オープンした日本と韓国による兄弟国家です。

これは軍事同盟、経済同盟のモデルを超えた世界基軸教育による教育同盟です。

ココロ　オープン国家どうしの連携が世界モデルになるのですか。

あおい　日韓が兄弟のようになるのは個人的には大賛成です。ただ残念ながら私の両親をみると、兄弟国家への道のりは遠いと思ってしまいます。両親は韓国人であるノさんに何かを学ぶことにあまり良い顔はしませんし、反日や嫌韓を解いていくのは一筋縄ではいかないのではないでしょうか。

ココロ　嫌韓や反日という感情が互いに根強くあるのかもしれないけれど、私たちの世代はそういった感情や偏見を持つ人はあまり多くないと思う。知識不足なのか、ネット社会で育っていろんな情報に触れているからなのか、客観的に受け止めてるような気がします。

実際、私も大学の友達もK-POPにハマったり、韓国ヘアにする子も多いし、韓国料理もよく食べに行ったり、韓国人の友達とはお互いの国を一緒に旅行したりします。日本人が韓国文化を好きなように、韓国の若い人たちの間でも日本の文化が人気で、文化的には「NO JAPAN」よりも、「YES JAPAN」「GO JAPAN」になってきていると思います。このまま日韓が仲良くなってくれるとうれしいです。

ノジェス　日韓の文化交流は大事ですね。争いに対して紛争解決の専門家であるハーバード大学心理学教授のドナ・ヒックス女史と縁あって、彼女の邦訳著書『Dignity』を監修したのですが、そこに「和解（reconciliation）と癒し（healing）をどう解釈するか」という記載があります。癒しは感情にまつわるから「思考が癒される」とはならず、また和解は思考にまつわるから「理性が働いて形を重視する」とあり、なるほどと思いました。

日韓の価値観としては、韓国は「癒し」、日本は「和解」を大切にします。癒しは「感情、共感、過去や思い出」、和解は「ルール、問題解決、未来やビジョン」につながるので、**韓国の観点では「和解しても癒しには程遠い」、日本の観点では「癒されても和解には程遠い」**となるのです。つまり、互いの観点にしがみついていたら永遠に日韓は交われないということです。

ココロ　日韓はまるで観点が違うのですね。お互いの観点にしがみついていたら交われないことは、国も人も同じなのだと思いました。

ノジェス　観点の違いで言えば、日本で「外出先での上着の扱い方」に驚いたことがあります。日本では外身（そとみ）を大事にして、外側が汚れないように裏返しに畳みますよね。でも韓国は内側を守るように外表にして畳みます。外側が汚れたときは洗えば済みますが、中身に何かあったら困るからです。

あおい　外身と中身の捉え方にも日韓にはそんな違いがあるのですね。ちなみに日本で裏返しに畳むのは、訪問先などで「外気の汚れを室内に持ち込まない」という周囲の人たちへの配慮もあるようです。でも、そういった互いの背景がわからないと、常識が違いすぎて争いの種にもなりますね。

ノジェス　日本の心遣いは美しいですね。中身を大事にすることは、自分だけを満足させればいいのですが、外身を大事にすることは、「大勢を満足させなければならない」ことにつながります。大勢を満足させるには苦心したりアイデアを絞ったりと努力するので、心が自然に鍛錬されていきます。日本の「おもてなしの心」もその鍛錬の表れでしょう。

ココロ　タテマエという日本の慣習は、体裁ばかり取り繕って本心が見えない、外面《そとづら》が良い、外見ばかり気を使い過ぎるなど、良い印象がなかったのですが、そんな観方もできるのですね。

ノジェス　裏表を上手に使いこなすのは真理（心）の国である証です。これは感覚的だったとしても１（純度１００％の心）が生活に根付いている日本だからこそ、１から２（裏と表）が自然に身に付いたのでしょう。２はデジタルの象徴ですから、日本は間違いなくデジタル認識の先駆者になりますよ。ただ日本は、外身を大事にするあまりに完璧主義になりやすい傾向があります。また、全体や場を大事にする共同体主義でもあるので「意思決定が遅い」という難点もあります。逆に、韓国は「私とあなた」という関係主義で、両者の合意だけで済むため意思決定がとても速いです。

あおい　日韓はおもしろいほど正反対ですね。相反するものが核融合したらとてつもないパワーが生じるのなら、日韓がひとつになったらどうなってしまうのか楽しみです。

ノジェス　核分裂とは比較にならないパワーを発揮するのが核融合ですからね。オープンされた教育で観点の問題を突破した日韓から、市民社会の疎通を土台とする心時代が本格的に始まり、それが端緒となって世界の融合が始まります。

ココロ　日韓が仲良くなることで世界が融合していくようになるなんて素敵です。日本のこともですが、もっと韓国の特徴を知りたいです。

ノジェス　はい、では話を続けましょう。日本は関係性の修復において「形式的で外身的な和解」を重視します。ですが韓国は「中身の感情」が優先なので、「この人なら線引きはいらない」と思えるほど共感し合い、心の距離がなくなることが重要です。

この韓国の観点からすると、国を代表する日本の総理大臣の公式的な謝罪は「感情が伴わない形式的なもの」に見えてしまい、韓国人の心に響きません。また総理と同じ党の議員が「…だけど日本は、韓国のために良いこともした」などと発言したら大変です。韓国人の気持ちを逆なでしてしまい、「総理の政党の議員は、総理の謝罪と違うことを言っているじゃないか」と非難の的になってしまいます。

ココロ　確かに韓国の観点からすれば、いくら表向きに謝ったとしても「本音は違うじゃないか」と受け取られても仕方がないと思います。

あおい　日本も戦争を経験した世代は敗戦の悔しさがある上に、何度謝罪をしても反日を叫ばれることに対してやるせない思いが募り、今の嫌韓につながっているのではと思います。それにしてもなぜ、韓国の人はあれほど激しく感情を表現するのでしょうか。

ノジェス　朝鮮は「恨（ハン）の民族」であるというのは聞いたことがありますか?漢字は「恨み」と書きますが、文字通りの単純な恨みの感情ではありません。恨（ハン）には運命に翻弄された悲哀や無常観、感情的なしこり、行き場のない怒りや悲しみなどが含まれています。

朝鮮の歴史はまさに試練の連続でした。ユーラシア大陸の東端に位置する朝鮮半島は、古代から現代に至るまで、中国をはじめ隣接する大国の攻撃を受け続けてきました。千回に及ぶと言われるほど、大小数えきれない戦争や闘争があり、朝鮮とモンゴル以外の民族は中国に吸収されていきました。その中でも戦いに屈せず、たとえ華夷秩序のなかにあったとしても、中国化されずに自国の文化や言語を守り続けたのです。

そんな苦難に傷を負い、言い表せないほどの深い涙が溢れている朝鮮には、「押さえつけられ小さくなるのは嫌だ」「私たちも大きくなりたい!」と、どこまでもエネルギーを爆発したくてたまらない思いがあり、感情として現れるのです。

あおい　そうなのですね。以前「感情とエネルギーは直結している」とお聞きしましたが、韓国の人たちが感情を大事にするのはそのような理由があるのですね。

ノジェス　そして朝鮮に最も深い傷を残したのが日本です。もし、あおいさんが大切な人に裏切られたとしたらショックですよね。何でもない人からの嫌がらせよりも何倍もショックが大きいはずです。同様に韓国からしたら「大切にしてきた日本」に裏切られたような気持ちがあるのです。古くからずっと日本には良いものを伝達したじゃないか、それなのになぜ植民地化したのか、なぜ恩を仇で返すようなことをしたのか、と。また、先ほども言いましたが、中国とあれだけ戦っても守り抜いてきたのに、日本にはあっさりと統治されてしまったこともそうです。この二重のショックでプライドが傷だらけです。

あおい　韓国がなぜ感情を大切にするのか、何に傷ついているのかもわからずに、日本は形式的な解決に走ろうとしてしまう。日本の立場で「良かれ」と思う言動も、韓国の立場からしたら「日本はわかっていない」と思うのは当然だと思いました。本当にわかり合うためには、観点や観点の背景を理解して観点をゼロ化すること。日韓関係も日常の人間関係も心のアモール・ファティができたら解決していけますね。

考える力と感情を失った日本

ノジェス　日本では「韓国に謝罪をしたらお金を要求される」と考える人もいますが、そうではありません。従軍慰安婦や徴用工問題も、お金が欲しいのではなく、、心の痛みを分かってほしいだけです。だから、涙を流して抱擁しながら「ごめんなさい」と本気で謝られたら、「もう大丈夫だから。もういいよ、過去のことだから」と心の雪解けが起きるのです。

ココロ　そういうことだったのですね。ただ、日本は人前で感情をさらけ出すことに抵抗値がとても高いので、「感情を露わにして謝罪をしてほしい」と言われても、今の日本では難しいと思います。恥ずかしい、みっともない、大人げない、知性がないなど良いイメージを持ちにくく、無意識に感情を抑え込んでしまいます。

ノジェス　私は元来の日本は、世界で最も「感情の力を強み」にしていた国であると思っています。なぜなら、切腹までできるのは「正気では大業を成せない。気違いになって死に狂いするまでだ」という強烈な感情がなければ無理だからです。ですが今の日本は「二度と感情的になるものか」と深く決断して感情の力を封じ込めているかのようです。

戦時中の日本は「天皇陛下万歳」と叫びながら心を一つにして戦いました。ですが時と共に、誰の目にもわかるほど戦況は悪化し終戦を迎えます。しばらくして冷静になった国民は、軍部のプロパガンダに扇動されていたことを知り、「何て馬鹿な戦いをしてしまったのか」と感情的に熱くなって戦ったことを悔やみ、「二度と感情的にならない」「感情的になるのは愚かだ」と決断したのではないでしょうか。

実際、日本は感情によって動くことを止めました。その結果、家族の絆は崩壊し、形式的な愛、形式的な関係性に終始するようになったのです。

ココロ　その時代に生きていないのに、私にも思い当たるところがあります。感情が出そうになると、とっさに押し殺して冷静を装ったりしますが、この反応は自分の性格だけでなく、国や歴史の影響も受けているということですか？

ノジェス　そうです。ココロさんは日本人の文化ＤＮＡを受け継いでいますから。海である環境が、魚という存在の健康を左右するのと同じで、人間も人を取り巻く環境に大きく影響されます。リーダー嫌いや組織嫌いについても、国のプロパガンダに気づいて「二度と騙されるものか」と不信感を持ったことが影響していると考えられます。感情を封じ込めればエネルギーが滞り、考える力が奪われてしまいます。日本人の思考力の弱さは、自ら感情を封じたことと、考えることを止めて実物経済に走ったことが主な要因でしょう。

ココロ　確かに「騙されないぞ」と思って、慎重になることが多々あります。それが日本という海の影響を受けていたなんて…。

ノジェス　日本は終戦を境に何もかも手放しましたが、感情も手放したものの一つです。全てを手放した日本の行為は「人類のカルマを断ち切った偉業」というだけではありません。別の観点では「何もかも手放した時点で、日本は充分に謝罪をしている」とも言えます。

日本本土は連合国の占領下となり、日本統治下だった台湾、朝鮮半島、満州国、東南アジア諸国や、血を流して得た中国の領土などは全て手放して連合国に委ね、550万人とも言われる生き残った国内外の軍人は一斉に武装解除に応じて植民地と変わらない状態を7年も受け入れ、さらに戦争犯罪国家の烙印を押されながらでも文句ひとついわず全てを受け入れました。

あり得ないほどのオールゼロ化をした日本に対して、これ以上どんな反省を要求できるというのでしょうか。これらの行為は充分な謝罪に値すると私は思います。

あおい　言葉ではなく行動で示したということなのでしょうか。それにしても、そんな解釈をする韓国の方がいらっしゃるとは驚きました。両親にも聞かせてあげたいです。

ノジェス　感情を自ら止めたことは、「もう洗脳されない、同じ過ちは繰り返さない」という決断だけではなく、「アメリカに勝てる状態でもない日本が、過去に執着して感情的になっても意味がない。敗ける戦いをするのは馬鹿だ」と悟ったことも理由のひとつだと思います。

ですから「人間的な感情は愚かだ」「二度と人間的な感情や、自分が意図しない感情にとらわれない」と心に決め、源泉の心の動きから出発した高級感情が持てるようになるまで、人間にしかできないことをするべきタイミングがくるまで、虎視牛歩《こしぎゅうほ》で時を待っていたのだと思います。

私は、この日本の決断に気づいたとき、底知れぬパワーを感じて、「いずれ日本が世界をリードする日が必ず来る」と確信し、JAPAN MISSION、JAPAN DREAM、JAPAN MIRACLEの活動を始めました。

ココロ　歴史は今まで関心が持てなかったけど、解釈の重要さもだんだんとわかってきて、いろいろ知りたくなってきました。本来は何も意味がないから、自ら新しい意味を無限に付けることができる。そうだったら、より多くの人に貢献でき、喜ばれる解釈やストーリーができたらいいと思いました。ところで、今おっしゃっていた「高級感情」とはなんですか？

ノジェス　これまでの感情は、受動的で条件反射的に湧いてくるものでしたよね。例えば「感情は苦手、リーダーは嫌い、組織は嫌い」なども、自分が能動的に感じたい感情ではないはずです。高級感情は、源泉の心の動きから出発したもので、それそのものになれば「自ら得たい感情を自分で設計できる」ようになります。

明治維新の日本を超えるには、物語の設計をするとともに「感情の設計」もすることです。明治維新の時は、源泉の心の動きを感覚的に使って義を貫いたアモール・ファティでしたが、これからの日本が起こす令和維新は、体系的理解が伴う心のアモール・ファティです。

あおい　重要なのは「感覚的」ではなく「体系的理解」が伴うことですね。体系的だからこそ、物語も感情も設計できるということかなあと。

ココロ　源泉の心の動きから出発する感情と理解で「和解と癒し」が起きた時、日韓がひとつに溶けあった心のアモール・ファティが始まるのですね。どんなことになっていくのかとワクワクしてきました。

《天皇と百済にみる日韓の深いつながり》

朝鮮の旧い国「百済と日本の関係について」の話を紹介しましょう。

史上初、日本と韓国の二か国による共同開催となった２００２ＦＩＦＡワールドカップの前年、明仁天皇（現上皇陛下）は「歴史的、地理的にも近い国である韓国に対し、陛下が持っておられる関心、思いなどをお聞かせください」という記者の質問に対して「日本と韓国との人々の間には、古くから深い交流があったことは、日本書紀などに詳しく記されています。韓国から移住した人々や、招へいされた人々によって、様々な文化や技術が伝えられました。宮内庁楽部の楽師の中には、当時の移住者の子孫で、代々楽師を務め、今も折々に雅楽を演奏している人があります。こうした文化や技術が、日本の人々の熱意と韓国の人々の友好的態度によって日本にもたらされたことは、幸いなことだったと思います。日本のその後の発展に、大きく寄与したことと思っています。私自身としては、桓武天皇の生母が百済の武寧王《ぶねいおう》の子孫であると、続日本書紀に記されていることに、韓国とのゆかりを感じています。武寧王は日本との関係が深く、この時以来、日本に五経博士が代々招へいされるようになりました。また、武寧王の子、聖明王は、日本に仏教を伝えたことで知られております。しかし、残念なことに、韓国との交流は、このような交流ばかりではありませんでした。このことを、私どもは忘れてはならないと思います」と述べられ、宮内庁のサイトには記者会見の全文が掲載されています。また、平成27年に九州国立博物館で開催された『古代日本と百済の交流』展では、同じ型からつくられた三つの鏡や、倭国へ亡命してきた百済人の存在を裏付ける資料などの出土品があり、両国の交流の深さを表していました。「七支刀《しちしとう》」には「泰和四年（３６９）に倭王のために七支刀をつくった」というようなことも記されていました。

明仁天皇(現上皇陛下)が日本との関係が深いとコメントされていた武寧王は、九州の加唐島(佐賀県唐津）で生まれています。日本書紀には「百濟新撰《くだらしんせん》」からの引用として「百済の蓋鹵王《がいろおう》が弟の昆支を日本に送るとき、妊娠中の蓋鹵王の夫人と一緒に送り出した。だがもし途中で子どもが生まれたら、子を送り返せと伝えた。それで加唐島まで来た時に男児が生まれたので、百済に送り返した。それが武寧王である」と記されています。

また、百済が滅亡した後、百済の復興を目指す倭・百済遺民連合軍と唐・新羅連合軍との間で「白村江の戦い」がありました。このとき倭国は百済に四万人弱の援軍を送ったそうです。結果は倭・百済連合軍の大敗でしたが、百済滅亡が他人事ではなかった大和朝廷は、国防策として西日本の政治の中心地である大宰府を守るために、水城、大野城、基肄城《きいじょう》を築き、博多湾からの敵を封じようとしました。水城では土と砂を突き固める「版築工法」や樹木の枝葉を敷く「敷粗朶《しきそだ》工法」など、亡命してきた百済人によってもたらされた技術が用いられていました。ちなみに『日本書紀』『続日本記』に記載がある水城、大野城、基肄城は朝鮮式山城と呼ばれています。百済から渡ってきた人たちが倭国に住み着いたのなら、本当の兄弟と変わらないと言えます。

百済との関わりは深く、当時は「百済にある」文化や知識、技術の多くが倭国にもたらされました。そのことからか、価値のない、取るに足らないなどを意味する「くだらない」の語源は「百済にない」という説があります。

《和製漢語の誕生と影響》

漢字は古代中国文明の文字に始まり、日本に伝来したのが1世紀ごろ。その後日本で独自に発展し、9世紀ごろ平仮名やカタカナが生まれたと言われています。開国後の明治期には、それまで日本になかった西洋発の学問や思想、概念、技術などの多くが日本に輸入されました。ですが、その語彙の意味や解釈などを適切に表現する日本語がなかったため、ひとつひとつ日本人が日本語に翻訳して多くの「和製漢語」が生まれたのです。

例えば、「社会、近代、哲学、経済、権利、恋愛、時間、電話、関係、経験、目的、文化、健康、国際、物理、自由、運動、簡単」など普段使っているこれらの言葉がそうです。つまりこれらは、それまで日本になかった概念ということであり、こうした和製漢語は明治維新以後、中国人留学生らにより中国にも伝わり、その数は常用語を中心に八百語以上に上ります。

もちろん同じ漢字文化圏である韓国やベトナムにも伝わっています。漢字は中国から輸入されましたが、近代では「和製漢語」が中国へ逆輸入されました。

日本には、渡来した文化に磨きをかけて進歩させる文化ＤＮＡがありますが、とりわけ明治期のそれには目を見張るものがありました。もし「和製漢語」がなかったとしたら、中国や韓国は、西洋文化をこれほど簡単に取り入れることはできなかったでしょう。明治の日本が苦心して翻訳し、アジアでいち早く近代化を成し遂げたこと、また世界をリードするほどの科学技術の発展をみせて数歩先を走ったことが、現在のアジアの科学技術の発展に大きく貢献しているのです。

まるで親子関係のように、古代の日本は中国や韓国を中心に多くをもらって育ててもらい、成長してからは逆に輸出して恩返ししてきたとも言えます。互いにもらったり、あげたりしながら今があるので、互いの功績を認め合えればいいのですが、人間の感情がそれを邪魔しています。起源を巡って争うのは「始まり、終わり」がある脳の中の因果ロジックだからです。

始まりも終わりもない源泉の心の動きから出発すれば、このような不毛な争いは自然と無くなるでしょう。

教育や文化のルーツとして中国や韓国の歴史を知ることで、日本について見えてくるものが多くあります。

朱子学と陽明学　教育の影響力

ノジェス　さらに日本と朝鮮の観点の理解とその背景をみていきましょう。

李氏朝鮮は五百年余り続いた王朝で、中国や日本など限られた国との貿易や外交をする孤立主義を取ってきました。身分制度は非常に厳しく、特権階級の両班《やんばん》、中人、常人、賤民《せんみん》に大別され、賤民にあたる白丁や奴婢《ぬひ》は人間以下に扱われることもありました。

両班は奴婢を増やして酷使することで私腹を肥やしたため、奴婢の割合は人口の40%にも及びました。また常民であっても、両班に財産を理由なく収奪されることがあったため、大金を積んででも両班になりたがり、両班の身分や偽の身分証の売買も横行しました。

あおい　強烈な身分差があったのですね。日本でも大飢饉のたびに人身売買が横行したと聞いたことはありますが…。ちなみに江戸時代の身分制度だといわれていた「士農工商」は、実際は職業名だそうで、今では教科書から消えたと聞いて驚きました。

ノジェス　思想は朝鮮も日本も儒教を土台にしていました。儒教は孔子が唱えた古代中国の代表的思想で、朱子学と陽明学に派生しました。儒教をベースに発展させたものが朱子学、その朱子学を非難、否定したものが陽明学だと一般的には言われ、どちらも目的は聖人になることです。
朱子学は、徹底的に真理を探究して一貫する物事の原理を見出し、知の完成に達するという「格物窮理《かくぶつきゅうり》（格物致知）」で、主導権が神にあるため、信じることを優先します。また、先に知を学んだ上で、その知識に基づいた行動を後で行う「先知後行」説でもあります。万物にも上下があるように、人間社会も然るべきだと考えるため、封建制度を支えた学問ともいえます。

あおい　「物事の原理」を絶対的なものとしているなら、「知るだけで完成する目的知・完全知」に至ったということですか？

ノジェス　いえ、朱子学も他の既存の学問と同様、「最優先して解決しなければならない問題意識＝ファイナルクエスチョンの発見」をせずに宇宙の法則を定義しようとしたため、目的知・完全知に至れませんでした。
また朱子学は「完全に悟った」状態で用いることを想定した学問ですが、実際は「悟っていない」状態で学び、その上で「自分が知った世界」を絶対視してしまいます。この「自分が知り得た知識」は自分勝手に決めつけた観念に過ぎず、目的知・完全知とはかけ離れています。そして、自分が「これ」と定めた観念に全てをつぎ込んで融通が利かなくなることも往々にしてあります。

あおい　つい条件反射的に「答え」に関心が向いてしまうけど、重要なのはファイナルアンサーではなく「最優先して解決しなければならないファイナルクエスチョン」なのだとつくづく思いました。

ノジェス　一方の陽明学は、心理（良知）は元から自分の中にある、だから「良知の通りにできないこと＝間違い」を正すことによって知の完成に達するという「心即理」で、人間が主導権を握って思惟を優先します。これは、学びと実践は同時だと考える「知行合一」説でもあります。

ココロ　二つの学問をシンプルに整理するとどうなるのでしょう？

ノジェス　簡単にいえば、朱子学は「理想世界（正しいこと）からの展開を完全知識として捉える学問」、陽明学は「間違っていることを正しくさせることで目的知・完全知に到達しようとする学問」です。

陽明学をnTechの観点で整理してみると、現実はアナログ言語による偽物の主語と述語が溢れる泡沫、錯覚だから「正しくない＝間違い」です。この誤りをデジタル言語によって「正しく」させ、知の完成に至ると解釈できるので、nTechは「究極の陽明学」ともいえます。つまり、正しい絶望を認識して目的知・完全知に至れば、正しい希望に反転し、同時に剰余エネルギーが発生して自然と行動が生まれる。だから知行合一が起きるということです。

ですから、解決すべき問題が何かを探し、問題が解決しなかったときは、「問題が間違っていた。これは最優先すべき正しい絶望ではなかった」と判断できるようになります。

このように陽明学は「問題解決能力」を重視する朱子学とは違い、「問題発見能力」を重視します。そして陽明学の究極であるnTechは、「自分＝無限大可能性」からの出発ではなく「自分＝不可能性そのもの」からの出発を案内するのです。

あおい　「不可能性そのもの」から出発させるなんて誰も言ったことないですよね。でも今はその通りだと思います。「あなたは無限の可能性」と強調するのが常識的だったけど、その主張は誤りだったと認めないと始まらないですね。

それで日本と朝鮮はそれぞれどちらを採用したのでしょうか。

ノジェス　朝鮮は朱子学、日本は陽明学です。両班による搾取は朱子学の影響です。朱子学は万物の理を重んじるため、権威や秩序、上下関係などは絶対です。国王は人知を超えた天（神）が定め、民衆は国王が定めた身分制度を厳守しなければなりません。しかし、実際にルールに従うのは「悟っていない人間」ですから、個人のエゴや個人のニーズに走ってしまいます。

このように搾取する側の両班は腐敗し、搾取される側は不満が募っていくことで、国民は、国家という共同体に対して愛情を持てなくなり、その結果、李氏朝鮮は弱体化して国家の崩壊へとつながったのです。

ちなみに朝鮮では、「朝鮮は中国から正統な儒教を継承した国」と捉えているため、中国を重んじる一方で日本に対しては「教えてあげるべき国」とみなします。

あおい　朝鮮が採用した朱子学は統制する側や搾取する側に都合よく利用されてしまったという

ことですね。ではなぜ日本は陽明学を採用したのでしょう。

ノジェス　身体感覚が「間違い」だとわかっていたからです。時代劇の「座頭市」は、それをよく表していると思います。座頭市は目が見えるのに、あえて目を瞑って刀を振ります。侍は常日頃から真剣勝負をするなかで、「相手の手や足などの動きを五感で判断していては遅すぎる」と脳のスピードの限界を悟り、五感に惑わされずに相手の気（エネルギー）を感じようと心を研ぎ澄ませて勝負に挑んだのです。

このようにして「身体感覚は騙す道具＝間違い」であることが感覚的に身に付いたため、間違いを正そうとする陽明学を選んだのです。

あおい　侍は五感の機械的条件反射に抗い、主体的にエネルギーや心を使っていたのですか。

ノジェス　はい。他にも「武士は食わねど高楊枝」ということわざにも驚きました。武士はたとえ空腹であっても、お腹いっぱいのふりをして気位を高く持ち、不義を働くような恥ずべきことはしない。そのように誇りを持っていた武士は、たとえ農民と同レベルの生活であったとしても搾取することなく、その高潔さでポジションの責任と義務を全うしました。

搾取の象徴ともいえる朝鮮の両班とは大違いです。これも「間違いを正す陽明学」の影響なのでしょう。

《朝鮮王朝末期の動乱》

もう少し朝鮮の歴史的な背景がわかると、日本に対する態度が理解できると思います。

朝鮮王朝内では派閥間対立が絶えませんでした。1800年代終わりの李氏朝鮮末期になると四代に渡り直系の世継ぎが生まれなかったり夭折したりしたため、傍系王族《ぼうけいおうぞく》（直系の祖先が同じで兄弟のように横に分かれた系統）の誰かを王位につけるようになります。そのため国王は次第にお飾りのような存在になり、力を弱めていきました。

明治維新が起きた時期の朝鮮王朝は、高宗《コジョン》（国王）の妻・閔妃《ミンビ》（明成皇后・開国派）と大院君《テウォングン》（王父・保守派）の間で権力抗争が起き、王室も国内も混乱を極めます。

まず摂政に就き実権を握った王父の大院君は、息子で王の高宗を傀儡君主《かいらいくんしゅ》として操ります。このときフランスとの戦い（丙寅洋擾《へいいんようじょう》）や、アメリカとの戦い（辛未洋擾《しんみようじょう》）が起きました。これらは、鎖国状態の朝鮮に開国を迫る欧米列強に対し抵抗するためのものでしたが、大院君は見事退けることに成功します。ですがこの勝利は朝鮮の孤立主義の正当性を認めることとなり、朝鮮は近代化のチャンスを逸しました。同時期の日本がオープンして近代化するなかで、朝鮮はクローズして孤立主義を貫くことになったので、両国の選択も対照的です。

大院君は中国（清）から冊封（中国皇帝からの国王としての承認）を受けた正式な国王ではないにも関わらず実権を握って権力を行使したということで、中国の怒りを買い連行されてしまいます。

そこで大院君に代わり正統な国王の高宗が政治を執ることになりました。朝鮮では、中国に認められた国王は中国からの保護が約束されていました。ですからもし民衆が王権にクーデターを起こそうとしても、中国から派遣された援軍との戦いを余儀なくされるため、そう簡単にクーデターを起こすことはできません。

そのため朝鮮王は中国を兄のように慕い、中国に守られることで自らの権力を維持してきたのです。これを事大主義（信念を持たず、時流や支配的な勢力に身を任せることで自身の安息を図ろうとする態度や考え方）といいます。

大院君が連行され、高宗が政治を執ることになりましたが、ここで閔妃が権力を握ることで問題が多発します。この時代、閔氏一族の腐敗や民衆の生活苦はひどいものでした。詳細は省きますが、例えばやっと支給された俸禄米が腐っていたり、砂が混ざっていたりしたことから兵士たちの不満が爆発して、軍人の反乱（壬午軍乱《じんごぐんらん》）が起きたり、中国から解放された大院君と閔妃の内部抗争が起きたりと争いが続き、気がついたときには国を守る軍隊が一万人程度にまで減ってしまう事態に陥ります。

そんな中、明治維新を模範として朝鮮の近代化を目指す開化派の金玉均《キムオッキュン》らが、閔氏政権打倒のクーデター（甲申事変）を起こします。一時実権を握ることに成功したものの、中国（清）の介入により失脚し、政権は僅か三日で幕を閉じます。

閔氏らは開化派の遺体を馬で引き回すなど、死後も拷問をして見せしめとしました。この事件をきっかけに、日本でも脱亜論が唱えられるようになります。

脱亜論は福沢諭吉が説いたものですが、欧米を文明人、アジアを未開の野蛮人とみて、アジアとの連帯を否定し、アジアを脱して欧米列強の仲間入りをしようとするものです。福沢は開化派を応援していましたから、このクーデターの失敗に失望しました。ちなみに当時、脱亜論はさほど話題にはならず、一般に有名になったのは１９６０年代後半になってからです。

韓国のプライドと依存体質

ノジェス　さて、１８８２年の壬午軍乱以後、ロシア、中国（清）、日本の三国は朝鮮での権益を巡り争います。また朝鮮内部では、三国のどの国につくのかを巡る抗争が起こります。朝鮮内で専制的支配や外国勢力に反対する農民蜂起（甲午農民戦争）が起こると、朝鮮政府はこれを鎮圧するために清と日本に援兵を依頼します。これによって清と日本は朝鮮の支配権を巡り衝突し、日清戦争が始まりました。

日本は清に勝利し、そのあと交わした日清講和（下関）条約の一つ目に「朝鮮の独立の承認（清の宗主権の放棄）」を挙げています。この要求は日本の安全保障上の観点もありますが、いずれにしても日本が朝鮮を清から独立させたことにより、朝鮮は大韓帝国と名を変えることになったのです。

ココロ　日清戦争がどうして起きたのかよくわかっていなかったのですが、背景がわかってきました。歴史もストーリーのつながりがわかるとおもしろいですね。

ノジェス　はい。その後ロシアは満州を占拠して朝鮮にも手を伸ばし始めます。ロシアの南下を食い止め、朝鮮の近代化をしなければ自国を守れないと考えた日本は、日露戦争に突入します。この戦争でも日本は勝利を収め、ロシアに朝鮮半島の日本の権益を認めさせました。ちなみにアメリカと日本は秘密裏に「桂・タフト協定」を結んでおり、日本の朝鮮半島支配権とアメリカのフィリピン支配権を相互に約束していました。結果的に日本は、日清・日露戦争での勝利によって「アジアの近代国家」として認められ、国際的な地位が向上します。そして欧米列強承認の下、１９１０年に韓国併合に至ったのです。

ココロ　そういう経緯で日本が韓国を併合することになったのですね。日本の近代史は学校でも詳しく教わらないからよくわかりませんでしたが、アジアや隣国のこれまでの関係がわかって勉強になります。

あおい　日本の近代化と国際的な地位の向上を後押ししたのは、朝鮮があったからとも言えますよね。朝鮮との関係により戦争をしなければならなくなったとはいえ、日本は２つの戦争を通して自身のポジションを確立できたのですから。

ノジェス　はい。日本は大政奉還によって、三百もの藩でバラバラだった時代から天皇中心の団結した近代国家を自ら生み出しました。また朝鮮を通して清とロシアと戦うことで、より一層世界の力を目の当たりにし、アジア戦略の具現化に向けて更に尽力するようになりました。

一方朝鮮は、国王のリーダーシップによって、五百年の長きに渡り存続したと言いたいところですが、中国に依存することで維持してきたと言った方が正確でしょう。そして度重なる混乱した内政によって、王朝末期には国を守る軍隊すらなくなってしまい、最後は中国、ロシア、日本のどこにつくべきかと依存先を巡って争い、自ら近代化することに失敗したのです。

ココロ　何かに依存して存在しようとすれば、必ず依存先に翻弄されてしまう…。何ものにも依存しない「源泉に戻れ」と言われた意味がわかってきました。

あおい　朝鮮王朝は今の日本の状況と似ている気がします。アメリカを慕い守られている日本は、裏を返せばアメリカの出方をいつも気にしている日本とも言えますよね。守られている安心感がある反面、依存先に翻弄された朝鮮王朝と今の日本はそっくりにみえてしまいます。

ノジェス　かつての日本は、明治維新によって自ら独立に成功し、新エネルギーと新勢力を内部に構築しました。でも今の日本は、まるでアメリカの世界戦略に従うことが日本の世界戦略かのようです。そろそろ日本もアメリカ依存を卒業して、独自の世界戦略を持つべきです。

ところで、朝鮮には「自国の文化や言語を守った」プライドがあると話しましたが、もう一つプライドに思っていることがあります。それは、「他国へ侵略したことがない平和を愛する民族」であるということです。

朝鮮は、他国へ侵略しないだけでなく、攻め入られたときは武器に代えて「詩文交遊」などの文化交流で対抗することもしました。もちろん武力衝突に完全に置き換えられたわけではありませんが、文化交流を駆使して攻め入る敵を説得し、独自の文化や政治体制を維持してきたのです。

あおい　韓国に行ったときに、朝鮮が詩で民族の涙や独立への想いを表現していたと聞いたことがあります。また日本統治下には、武器も持たず、平和や潔白を表す白い服を着て「朝鮮独立万歳！」と民族の独立を数十万人で叫んだ「三・一独立運動」があったそうで、韓国国民の立ち上がる力のパワフルさに驚かされました。

ココロ　昨年のソウルの梨泰院雑踏事故の後も、ろうそく集会やデモをしたり、政治にも声をあげたりと、何かあればすぐに立ち上がって声をあげますよね。日本はデモに参加する人も少ないし、私の周りにもいません。むしろ、そういう行為を冷ややかな目でみる人が多いように思います。

ノジェス　朝鮮は朱子学が土台ですから、「これだ」と決めたものに対して「～のために（ｆｏｒ）」と全てを投入します。

一方、陽明学が土台の日本は、ｏｆ（素材・主体）、ｂｙ（メカニズム）も取り入れて動きます。この両者の違いは、自ら近代化を成し遂げて植民地化する側になるのか、未来勢力をつくれずに植民地化される側になるのかを左右しました。

ココロ　でも、ほとんどの人が「〜のために（ｆｏｒ）」を原動力に行動しているように思います。そこにどんな問題があるのか知りたいです。

ノジェス　例えば、ずっと鳥かごの中で飼われてきた鳥をかわいそうに思い、「自由に大空を飛んでほしい（ｆｏｒ）」と、鳥かごから出したらどうなるでしょう。大空を飛び回るどころか、すぐに死んでしまうはずです。鳥かごという守られた環境で餌をもらっていた鳥は生存能力が弱いので、野生に戻すのが難しいのです。もし本気で野生に戻したいなら、餌の取り方や他の動物から身を守る方法などを教え込まなければなりません。

ココロ　良かれという思いだけで先走ると、思わぬ結果を招くのですね。

ノジェス　はい、「平和」の実現も同じです。平和哲学や平和思想もないまま「〜のために（ｆｏｒ）」と叫んで平和を実現しようと行動しても、その言動は虚しい嘘になってしまうでしょう。
脳に支配されている状態では、ｏｆ（素材・主体）もｂｙ（メカニズム）もわからないので、「生きろ」という命令に無意識で従い、その命令を解除できるまで生存競争をするしかありません。だから「ｆｏｒ」を掲げて何らかの戦いをし続けるしかないのが身体の人間の宿命なのです。
日本統治下の韓国（当時は大韓帝国）で起きた１９１９年の三・一独立運動では、「自国のことは自国で決めたい」と朝鮮独立を叫びました。でも独立国家として成り立つための条件が整わない中、

「〜のために（ｆｏｒ）」という思いだけで独立しようとしても上手くいかないのです。
当時の日本は、アジアの近代化が喫緊の課題でした。植民地化して迫りくる欧米列強にアジアが飲み込まれる前に、周辺国を近代化させ、アジア勢力を固めなければならないと考えていたのです。

あおい　この時代の日本と韓国は観ている世界の広さが違っていたのですね。

ノジェス　明治維新の志士たちは「刀は人を斬るものではない」と悟った人たちです。彼らは文武両道を旨とし、ｏｆ（素材・主体）、ｂｙ（メカニズム）、ｆｏｒ（〜のために）のバランスを取りながら近代化を推し進めていました。明治維新の出発点でもある伊藤博文は、１９０９年に韓国の安重根《アンジュングン》によって暗殺されましたが、この死はアジアの独立を夢見る「明治維新精神」の消滅をもたらしたとも言えるでしょう。これにより日本は、ｏｆ、ｂｙ、ｆｏｒのバランスを崩して軍国主義に走るようになったのです。

あおい　安重根は日本ではほとんど知られていませんが、韓国では抗日運動の英雄だそうですね。伊藤博文の暗殺が結果的に「日本がバランスを崩すきっかけ」になったとは。

ノジェス　日本はこれから、明治維新を完成させるｏｆもｂｙも伴った日本独自の世界戦略が急務です。今はそれができるデジタル言語も、世界基軸教育になり得る完全学問もあるのですから。

共同体を進化させるリーダーシップ

ノジェス　では続いて戦後の東アジアがどうなっていったのかをみていきましょう。

１９４５年８月15日に終戦宣言をした日本はその後、朝鮮からの撤退を余儀なくされ、朝鮮は一時的に連合国の信託統治下に置かれました。敗けた側の日本は朝鮮の分断には直接的な関与ができず、東西冷戦の激化が朝鮮半島を二分する結果となり、朝鮮戦争（６・25戦争）が勃発したのです。約三年間、壮絶な攻防が繰り広げられた戦争は、１９５３年に北緯38度線を休戦ラインとして協定を結び、南北に国家が分断されたまま今年でちょうど七十年となりますが、今も両国間では緊張が続いています。

これは朝鮮民族の戦いというより、ソ連や中国という共産主義勢力とアメリカの資本主義勢力の対立とも言えます。これが冷戦における米ソの「代理戦争」と言われる理由です。

いずれにせよ、ある日突然、北と南に国家が分断されて行き来も禁じられ、家族と生き別れになり連絡も取れなくなるという悲劇が、戦後すぐの朝鮮で実際に起きたのです。離散家族が溢れ、民族どうしの戦いで実に５００万人以上が犠牲になったのです。

あおい　太平洋戦争終結からもうすぐ八十年ですが、その影響が未だこうして朝鮮の南北分断というかたちで尾を引いているのですね。

ノジェス　日本本土においても終戦時に、米英中ソの四カ国が日本を分割統治する「分割統治計画」も出ていたので、もしそれが現実になっていれば今とは全く違った歴史になっていたでしょう。
この朝鮮戦争によって日本は「朝鮮特需」といわれる好景気が起こり、経済は急速に回復。復興期から高度経済成長期へと移行する契機となりました。またアメリカは「軍がなかった日本」に警察予備隊を設けさせ、これが後の自衛隊になりました。

あおい　韓国や北朝鮮の人からすれば、やるせなさ、悔しさ、怒りなどが込み上げてくると思います。自分たちが血と涙を流す裏で、日本は戦後復興をし、軍隊のようなものまで持つようになったのですから。

ノジェス　この朝鮮分断後の初代韓国大統領は李承晩《イスンマン》でした。彼は韓国を知るうえで欠かせない人物で、当時、知の最先端をいくクリスチャンでもありました。
韓国を訪れたことがある人は教会の多さに気づくと思いますが、様々な理由からキリスト教が拡大した韓国には、今もクリスチャンが大勢います。李承晩はジョージ・ワシントン大学で学士号を取得、ハーバード大学卒で修士号を取得、プリンストン大学では政治学博士号を取得し、発表した論文「アメリカの影響を受けた永世中立論」は高評価という超エリートです。日米対戦を予測するなど洞察力にも長け、中国の蒋介石とも人脈があり、ウィルソン米大統領とも家族ぐるみの付き合いをする仲でした。終戦から１９４８年に初代大統領に就任するまで、国内外の様々な行動により主導権を握っていきました。

あおい　李承晩大統領の名前は聞いたことがあります。とても優秀な方だったのですね。

ノジェス　右派にとっての李承晩は始祖アダムのような存在です。彼は建国するにあたり「アメリカの後ろ盾によって立てられた国」ではなく、「日本に対抗して独立を勝ち取った民族」だという建国ストーリーを主張しました。憲法前文には大韓民国臨時政府（三・一独立運動時の臨時政府）の法的正当性を明記し、キリスト教を土台とする自由民主主義国家を目指したのです。

ただ、朱子学を重んじてきた韓国のエリート層からみれば、李承晩の政策は朝鮮への愛着が感じられません。また共産主義者にとっての李承晩はアメリカのスパイのような存在です。国民には共産主義思想が溢れていたので、「共産主義の島」とみなされた済州島では、警察や右翼青年団による弾圧が起こり、島民が武装蜂起する「四・三事件」も起こりました。

あおい　北朝鮮と韓国の思想争いだけでなく、韓国内でも右派と左派の争いがあるのですか。

ノジェス　はい、思想の戦いは今も続いています。その話は後ほど触れましょう。

李承晩暗殺後は、尹潽善《ユンボソン》が大統領に就きますが短命政権となり、次の大統領には朴正煕《パクチョンヒ》が１９６３年から16年間就任します。貧しい農家生まれの彼も李承晩と並ぶ右派のヒーロー的存在です。彼が就任した朝鮮戦争後の韓国は、現在の北朝鮮よりも貧しく、世界最貧国でした。日本統治下の朝鮮半島は、北は工業地帯、南は農業地帯で、もとから北側が発展していました。その状態で南北が分断されて朝鮮戦争が起こり、戦闘、飢餓、病気などで大勢が命を落としました。産業施設や交通インフラも破壊されて焦土と化し、半島は壊滅的な状態に陥ったのです。悲惨な状態にあった韓国は、朴正煕のリーダーシップによって１９７０年からの農村振興運動「セマウル運動」に拍車がかかり、また、「漢江の奇跡」と呼ばれる高度経済成長も起こしました。朴正煕は日本統治下の満州国で日本の近代国家のつくり方やビジョンを学んだ人です。その学びを活かし、日本からの経済援助も引き出しながら産業化に成功しました。

あおい　焦土化した国を高度経済成長に導くには、満州国（日本）での学びがあったとはいえ、並大抵のことではないですよね。

ノジェス　はい、歴史を動かすには、死をもいとわない決断と覚悟が必要ですが、朴正煕にはそれがあったと思います。彼は１９６１年に軍事クーデターを起こして大統領に就任しました。産業化成功の要因のひとつは、朴正煕が「朝鮮の民族性に問題がある」とみたからだと思います。

南北分断の責任についても、多くは「ソ連が問題だ」などと他者に責任転嫁しましたが、彼はそこに異を唱えました。

他者のせいにしていれば、いつまでも環境に支配される人間になってしまう。朝鮮王朝時代から奴婢が人口の半分近かった朝鮮民族は、卑屈になりやすい性質がある。そんな民族性にメスを入れるべく教育に注力したことが、結果的に産業化の成功につながったと思います。

あおい　問題の見極めと決断と覚悟、朴正熙の実行力はすごいですね。いろんなリーダーがいますが、そもそも「リーダーシップの本質」とは何なのでしょう。

ノジェス　ニーチェが唱えた精神の段階「駱駝→獅子→幼子」は覚えていますか?駱駝は砂漠の中で進み続ける姿勢を持ち、負荷を背負ってでも進む覚悟を示していますが、リーダーシップのスタートは「駱駝」からです。駱駝の段階をリーダーシップに置き換えると、人間が最優先して解決しなければならない問題を徹底的に認識して問題提起することになります。ですからリーダーは、人間の現在地に気づかせ「このままじゃダメだ」と正しく絶望させることです。観点の問題がわかれば「世の中は意味がない」「自分は不可能性そのものである」ことがわかります。

あおい　まさにリーダーが真っ先に着手すべきポイントだと思います。

ノジェス　それがわからなければ、伝統やルール、上下関係にも縛られ、平等な同僚を一人も得ることもできず、孤独に人生を終えるしかありません。この人間の現在地に絶望できることが重要です。絶望のなかで荷物を背負う駱駝を通過した人だけが獅子になり、真のリーダーになれます。真のリーダーは楽な道を行きません。大変なポジションを恐れずに歩んでこそ、本当の勉強が始まるのです。

リーダーの役目は、駱駝を通過して目的知・完全知に到達し、自分の命以上に大切な共同体の憲法やルールを設けて民衆をまとめること。ですから大義名分（ｆｏｒ）だけでは務まりません。

あおい　リーダーのイメージが変わります。これまでのリーダー像は、支配的、権力乱用、愚策や周りの評価を気にするなどのイメージもありました。

それに、自分がリーダーになるなんて責任を負わされそうでもっと嫌でした。でも、正しい絶望から希望に導く道をつくって伴走するのがリーダーだとしたら、一番必要で、一番やりがいのあるポジションに思えてきました。

ノジェス　それはよかったです。もうひとつ欠かせないのは、リーダーシップの本質は「今が戦争状態」であるとわかることです。その上で、最強の戦争をする人が本物のリーダーとして認められるのです。脳に支配された人間は、必ず戦争をするように初期設定されています。ならば**「どんな戦争をすべきなのか」**を考えなければなりません。

日本は憲法で戦争放棄を謳っていますが、だからといって何もせずに傍観しているわけにはいかず、代わりに何かをしなければなりません。なぜなら、**国家は戦争をするためにある**からです。

ココロ　国家は戦争をするためにあるとは、どういうことですか？

ノジェス　原始時代、人間は生き残りをかけて動物と戦いました。そしてアナログ言語を開発することで団結に成功し、動物に勝利します。すると次は人間どうしの争いが始まりました。それが国家のスタートです。

戦争に勝つには、より多くの人が結集して、共同体のルールを守ることが必要です。戦争に勝てば領土や食料、資源などを守って安全な生活を営めますが、敗ければ全てを失います。ですから必死で共同体のルールを守りながら戦いました。

ココロ　確かにルールを守らないで個人がバラバラに行動していたら、戦いに勝てませんよね。

ノジェス　では、共同体はどのように進化したのかをみてみましょう。国家の始まりは、母の子宮です。人間も動物ですから、産み育ててくれた母は絶対的な存在です。そこで母を中心とした十人程度の少人数の共同体をつくりました。次は、父中心の百人規模の共同体です。一夫多妻制で大家族となり、農業を取り入れて、より大勢で協力するようになりました。次は、天の父に当たる神を中心にした共同体です。偉大なる神を信仰することで、より多くの人が結集する千人規模の共同体が誕生します。

次は抽象的な教理を超え、より多くの人が納得できる論理体系を中心とした一万人規模の教育体系、次は誰かの特定の論理ではなく集団を動かすシステムを構築する十万人規模の政治、さらに一人ひとりの主体性やアイデアを活かす百万人規模の経済、そこから情報知識を共有して全体をまとめる一千万人規模の文化まで発展します。

ココロ　人間はそんなプロセスを経て共同体を進化させてきたのですか。

ノジェス　はい。先ほども言いましたが、**人間は「文化活動」を通して進化してきたので、「文化」が国家共同体の土台**になります。国の始まりが「共同体を守ること」を目的として出発しているので、国家のベースはまさに安全保障なのです。

ですから、領土や国民、主権など、国が脅かされそうになれば戦うのは当然で、戦国時代や軍事戦争では武士、騎士、軍人が英雄になるのも国家を守ったからです。その国家が機能するように「王道」を集めてつくったルールが「憲法」なので、憲法による秩序は、自分の命よりも優先して守るべきものなのです。

あおい　憲法による秩序を守ることが、結果的に国民一人ひとりや主権、領土を守ることになるのなら、どんな憲法を制定するのかが大事ですね。

ノジェス　はい。結局は正義と正義が衝突する正義戦争ですから、どんな憲法や正義を立てるのかは国家の重大事項です。

ココロ　それほど国家とか憲法が重要とは思ってもみませんでした。戦争放棄を憲法で謳っている日本がすべき戦争はどんな戦争だろう…。

ノジェス　教育戦争です。**日本の使命は教育による愛の戦争で、戦争不可能な人間を地球に溢れさせること。**これは物理的な領土拡大ではなく、教育領土を広げていくことです。そのためには人間へのディープラーニングを始める必要があります。

外務省が２０２２年5月に発表した「米国における対日世論調査」によると、アメリカの一般人の70％、有識者の93％が「日本を信頼できる友邦国である」と認識していると発表しています。日本は終戦直後の1年間の隙間を経た後、耐え忍ぶ心で77年間も砂漠の駱駝を見事にやり遂げました。かつての敵であったアメリカの世界戦略に惜しみない協力をし、最も信頼できる国としての地位を獲得したことは、日本の倫理道徳的な勝利の証です。駱駝を通過した日本だからこそ、獅子にチャレンジする権利があります。獅子を通過せずに幼子にはなれません。日本は獅子にチャレンジし、「人間の尊厳を具現化する教育領土を広げていく」というピースリーダーシップとしてのメッセージを積極的に投げることです。純度１００％の心で勝負できる日本をつくりましょう。

真の民主化を実現するには

ノジェス　日本の産業化が世界最高のモデルであることは、韓国のみならず世界が認めるところです。でも民主化に関して言えば、多くの韓国人の本音は「日本は民主化の後進国」だと見ています。

ココロ　民主化の後進国という「民主」がピンとこないのですが。

あおい　民主というのは「国家の主権が人民にあること」、だから**民主主義は「国のあり方を決める権利は国民が持つ」という考えの政治体制**のことですよね。

日本の民主主義は、市民意識や政治参加意欲が低いという指摘もありますが、民主化の後進国とまで思われているとはちょっと意外です。

ノジェス　日本の中だけをみればそうかもしれませんね。ですが韓国をみると、国民の団結した行動が政権に影響を与えることは珍しくなく、数万人、あるいは百万人結集することもあります。その意味で韓国は民主的だと思いませんか。日本は、独裁制ではないにしろ、ほぼ自民党の一党独裁が続いていて、その自民党の背後にはアメリカがいます。また国民が声を上げる場面も少ないので民主的とは言い難いのです。

あおい　言われてみれば日本の国民は、関心がないのか、意見がないからなのか、「お任せ民主主義」ともいえる依存体質が見え隠れしていますね。政治に関しては「何をやっても無駄」というのが本音で、「選挙でこれまで投票してきたけれど何も変わらない」から投票しなくなったという人が私の周りにもいます。

ノジェス　日本で国民の結集が起きにくい理由は、政治への無関心や依存体質だけに限りません。全体主義の日本は「長いものには巻かれろ」と全体を動かす勢力に巻かれて動くので、上昇も下降も国全体が運命共同体です。だから全体が動く気配もないのに「自分たちだけで盛り上がっても意味がない」「私とあなたが動いたところで何ができるのか」と思ったり、「どうせ今はアメリカのゲーム、だから日本の出る幕ではない」と諦めて傍観していることもあると思います。一方で関係主義の韓国は、隣人どうしがスピードよくつながり連鎖して、結果的に大きな集団となって動くようになります。

ココロ　日本は本当に個より全体、共同体が優先なのですね。当たり前すぎるからか全く気づかなかったけど、韓国と比較することで、みえなかった日本がみえてきておもしろいです。

ノジェス　韓国は力動性に溢れ、感情的でエネルギーがあります。また、政治への関心も高く、民主化運動として草の根の意見や、意志を呼び起こすピープルパワーは世界トップレベルだといえるでしょう。

政権の変遷をみるとピープルパワーが大きく影響していることがわかります。新しい国家づくりに多大な貢献をした初代大統領の李承晩（在任１９４８年－１９６０年）は、４期目に向けての選挙結果を無効として再選挙を行おうとしたところ、これを不服とする学生や市民の抗議行動が激化して、ソウル市内で大規模デモ「4・19学生革命」が起き、結果的に退陣に追い込まれてハワイに亡命しました。続く朴正熙政権（在任１９６３年－１９７９年）では「打倒独裁」と軍事政権に抗議する民主化デモが頻発、彼自身は側近に暗殺されました。

その後、全斗煥《チョンドゥファン》（在任１９８０年－１９８８年）が軍事クーデターで実権を握り、光州事件を弾圧して大統領に就任。全斗煥も朴正熙のようなリーダーシップとカリスマを持つ人物で、前政権に引き続き経済発展を推し進めましたが、１００万人超の市民と学生による民主化運動が起きると、「六月民主化宣言」を発表し、国民による直接選挙で大統領を選出できるように憲法を改正します。

これにより次期大統領は直接選挙によって軍人出身の盧泰愚《ノテウ》（在任１９８８年－１９９３年）が選ばれ、次いで民主化運動を進めていた非軍人の金泳三《キムヨンサム》、金大中《キムデジュン》が相次いで当選したことで、約30年続いた軍事独裁政権は幕を閉じ、二度と軍人が政治に関与できない「完全民主化」に成功したのです。

ココロ　選挙法や憲法まで変更させて民主化を勝ち取るとはすごいですね。韓国の国民の圧倒的な底力を感じます。日本国民はそれに比べると静か。というか、自分たちの手で政権を変えられるイメージがないので、刺激を受けました。

あおい　ピープルパワーで記憶に新しいところでは、女性として東アジア初、韓国初の大統領に就任した朴正熙の娘、朴槿恵《パククネ》元大統領の罷免もありましたね。不祥事で国民からの非難が殺到し、支持率は急落、任期1年を残して２０１７年に罷免されたのはインパクトがありました。

ノジェス　それほど韓国は自国民による民主化にプライドがあるのです。ただ、どうでしょうか。このようなピープルパワーは国家を強くさせるのか、それとも弱くさせるのか、どう思いますか？

ココロ　質問された瞬間は、「強くする」と思いました。でも考えてみたら、違うかもしれないとも思えてきます。「多数派が正しい」とは限らないですし、それぞれの観点に凝り固まったイデオロギーや正義は衝突の種でしかないから、本質的な問題解決につながらないと思いました。

ノジェス　その通りです。政治に関心を持つことや力動性、主体性という点は評価に値しますが、問題意識の持ち方が間違っていたら、より問題が拗れて複雑になるだけです。

「社会が問題だ」という社会変革の訴えは、ルソーの「自然に帰れ」と同じく表層の問題へのアプローチです。真に自由で平等な平和を実現するには「人間が最優先して解決しなければならない問題＝ファイナルクエスチョン」を発見して源泉に戻る道しかありません。

ココロ　シンプルにいつもそこに帰結しますね。ファイナルクエスチョンがないと何事も始まらないことが深まります。

日本が教育で世界戦略を立てるとき

ノジェス　日本も韓国も、まだ本当の意味での民主主義国家でもなければ、真の独立国家でもありません。独立国家になるには世界戦略を持つことが必須条件です。これまで主権国家になったフランス、スペイン、ポルトガル、イギリスなどは、戦略の善し悪しに関わらず世界戦略がありました。世界戦略のない国は、世界戦略のある国に依存するか支配下になるか、いずれかの運命です。現在の中国も「一帯一路構想」を世界戦略に掲げて覇権国家アメリカに挑んでいます。

あおい　私が子どもの頃の中国は、日本の下請け工場や模倣品だらけで粗悪なモノづくりという後進国の印象でしたが、あっという間に急成長し、世界での存在感が増して驚きました。最先端技術や半導体、金融業界にも勢力を拡大して、米中覇権争いが注目されるほどになったのは、世界戦略の計画や構想があったからなのですね。

ノジェス　明治の日本には「大東亜共栄圏」というアジア戦略がありました。当時、欧米列強の植民地支配下にあったアジア諸国を解放し、日本を中心とした道義に基づく共存共栄のアジア経済圏の確立を目指したのです。ですが戦略の範囲が「世界」ではなく「アジア」に留まっていた。つまり当時の日本が描いたビジョンは小さかったのです。このことは日本が終戦に追い込まれた要因のひとつだとみています。

あおい　先ほど「全人類にとってどんな未来をつくりたいのか。そのためにどんな解釈、ストーリーで観点を選択し実践するのが最善なのか」と言われた意味がわかってきました。

日本はアジアという範囲に線引きするのではなく、もっと大きな、境界線のない心で世界をひとつにまとめる視座があればよかったということですね。

ノジェス　はい、そして今がそのタイミングです。このまま日本が世界戦略を持たなければ、日本も世界も未来はありません。日本はこれまでのようにアメリカの世界戦略に従うのではなく、独自の世界戦略を打ち出すときです。日本は、機が熟すのを待っていたのだと思います。

本来の人間にしかできないこと＝純度１００％の心を使った時代を開く機会をずっと待っていた。

ＡＩが人間を代替しようとする今のタイミングを待っていた。そうとしか思えません。

あおい　人間はＡＩという人類共通の危機に直面してようやく、「人間とは何か」「人間にしかできないこととは何か」「これまで何が問題だったのか」を本気で悩み、考える準備が整ったのかもしれないですね。これまでの「問題」は、問題だとわかっていても見ないふりもできた。けれど、ことＡＩに関しては「何とかなる」で済まして先送りにできる問題じゃないですから。

もちろん、ＡＩが問題の根本ではありませんが、人類が共通の危機意識を持つきっかけにはなったと思います。

ノジェス　今こそアメリカというフィルターを通した対米従属という眼を卒業して、オリジナル日本の眼で独自の世界戦略を持ち、世界のリーダーシップをとる時です。日本の世界戦略を考えた時、軍事や経済で太刀打ちしようにも日本の実力が伴いません。

そもそも日本は、軍事も経済も世界の頂点に上り詰める寸前で急降下した過去があるので、軍事や経済が日本の勝負ではないことは誰もが知るところです。ですから日本は、軍事戦争を完全に放棄し、経済戦争でも熱くなれないのです。アメリカは経済、ロシアは軍事、中国は共産主義の理念で世界戦略を立てるならば、日本に残された道は「教育」です。教育チャンピオンになり、教育で新しい勢力をつくることです。

あおい　岸田首相も、２０２２年９月の国連教育変革サミットで「教育は平和の礎という信念のもと、教育チャンピオンに就任します」と発表して話題になりましたね。これは偶然ではなく、歴史からみてもそのタイミングなのかなと思いました。

ノジェス　明治維新では、薩長の団結によって未来勢力の誕生に成功しました。ただ、今の日本には、未来勢力になろうとする人も世界戦略を語る人もまだ見えません。今こそ、決断と覚悟ができる日本が「明治維新を超える日本をどのようにつくるのか」を真剣に考えるときです。

少し話は変わりますが、韓国の左派が反日を訴える理由のひとつに、「日本は第２の朝鮮戦争を誘導している」というものがあります。現在の冷え込んだ日本経済を回復させるために、日本が韓国と北朝鮮の仲を裂いて南北朝鮮の戦争を誘発しようとしていると思っているのです。ですが私は、単に日本は「韓国の共産化を避けたいだけ」だと考えます。韓国の共産化は、日本や西側諸国にとってリスクが高いので当然のことです。

あおい　考えたことも無かったです。そんな観方があるとは驚きました。

ノジェス　はい、誤解を恐れずに言うなら、今は「第２の日清戦争」ともいえる状態です。中国共産党の世界戦略は、中国主導の第４次世界化に向けて、武力戦争を想定のうえでその手前の思想戦争をしています。中国共産党による諜報活動やサボタージュ、プロパガンダは頻繁に行われていますが、その共産主義思想に最も影響を受けているのが韓国、次はアメリカ、日本と続きます。

あおい　そうなのですか？日本も共産主義思想の影響が大きいなんて。

ノジェス　日本は「スパイ天国」と言われているようですよ。韓国の反日には共産主義勢力が半数近く潜入しており、日本国内の嫌韓も共産主義勢力の影響は十分考えられます。

アメリカも以前から共産主義勢力を深刻に捉えています。２０２２年7月には米連邦捜査局（ＦＢＩ）と英情報局保安部（ＭＩ５）による史上初の合同記者会見が開かれ、「中国共産党が米英両国の国益にもたらす脅威が増大している」と警告を発しています。さらに、ＭＩ５のマッカラム長官は「中国共産党は、かつてのように外交官を偽装する工作員を使わない。『千粒の砂』と呼ぶ戦略で、さまざまなチャンネルを通じて情報を集める」と指摘しました。

「千粒の砂」とは世界中に散らばっている中国人のことです。道を尋ねるなど何気ないことで知り合いになって親しくなるなど、手法は様々です。

あおい　そういえば日本でも、今年6月につくばの産業技術総合研究所に20年勤めていた中国籍の社員がスパイ容疑で逮捕されたと報道がありました。身近にスパイがいるなどと日ごろ考えたこともありませんが、映画の中の話ではなく、警戒心を抱かせない同僚やご近所さんがスパイという可能性はあり得るのでしょうね。

ノジェス　もちろん思想だけでなく、スパイ活動にはそのような「技術移転」や情報操作も重要です。共産党は思想戦のプロで、特に中国はロシアより上手です。いま世界の情報機関が最も注目しているのは、中国共産党中央委員会傘下の情報機関「中共中央統一戦線工作部（ＵＦＷＤ）」と言われています。習近平総書記は、この組織は中国共産党の「魔法の武器（中国語で法宝、英語で magic weapon）」だと言い、組織を強大化し、謎のスパイ集団と言われる「国家安全部（ＭＳＳ）」の諜報力の規模もかなり大きくなっていると言います。

また、北朝鮮の共産主義勢力は、覇権国アメリカの影響力を封じることで民族統一を図ろうとする動きもみえます。韓国と日本、もしくは韓国とアメリカの仲を裂けば、民族統一が実現するという思想哲学なのです。

あおい　そんな裏事情があったのですか。世界は手を取り合って協力するよりも、自国が優位になるための駆け引きや情報戦、経済戦争が終わらない感じですね。

ノジェス　現実を肯定した思想哲学では共産主義の制圧はできません。共産主義は社会を階級闘争と捉えた「弱者に必要な主義」という論理ですから、自由主義はその論理を崩せないのです。

あおい　現実では必ず上下や格差が生まれるし、存在を存在させたら軟弱な弱者になるしかない。だから現実ではどうしても共産主義の思想が優れていると判断されるのですね。

ノジェス　はい。ですから勝負のプレートを**「人間と人間の宇宙は実在する（脳）」VS「人間と人間の宇宙は実在しない（心）」に変えること**です。欧米は「人間と人間の宇宙は実在しない」というベースで神を優先しますが、マルクスが「宗教はアヘンである」といったように、共産主義は基本的に宗教や信仰に対して否定的な立場をとっています。ですから神をベースとした欧米の価値判断では共産主義を説得できません。それに神をベースにしているといっても、神と分離した「脳の中」に留まっている状態ですから、科学との融合もできません。

ｎＴｅｃｈの価値判断は、「人間と人間の宇宙は実在しない、純度１００％の心だけが実在する」というベースで、今ここ自分の心とつながっている宇宙自然を語り、デジタル認識技術で全ての学問や現象を理解し融合できるので、宗教も共産主義も次元上昇することができるのです。

あおい　「純度１００％の心しかない」から全てを融合して絶対平等にいけるというのは、不毛な戦いはしなくてもいいという全く新しい道がつくれるということですね。

ノジェス　はい。これから日本は、それぞれのイデオロギーの特徴やその戦略、限界などを理解し、それらを超えていく道具と戦略を持った上で、アメリカの信頼を得たように韓国の心を掴んで「日韓兄弟国家宣言」をし、教育のグローバルリーダーシップをとることです。

その第一歩は日本がデジタル認識技術、世界基軸教育を受け入れることです。そして日本が世界基軸教育によるピースリーダーシップを発揮し、鬱、自殺、殺人、戦争が不可能な心時代をつくること。人類の戦いの歴史を平和の歴史、愛の歴史へと上昇させる「人間へのディープラーニング」で世界80億人が心をマスターしていく道をつくることです。そのためにも、まずは日本と韓国の連携が必要です。教育でひとつになった日韓が、これまでとはレベルの違うオープン国家となって連携し、全世界の教育を主導すること。これを世界が目の当たりにすることで、ワンワールドへの道が加速するのです。

ココロ　これまで国家や世界戦略などと言われても雲の上の話で、まったく自分と関係がないと思っていましたが、興味が持てるようになってきました。世界基軸教育というのは、いま通貨ではUSドルが世界基軸通貨になっていて、国際取引で決済するときに世界基準で使えますが、そのように教育において世界の共通基準になるということでしょうか。

ノジェス　そうです。**現在の脳を基準にした分離・断絶するアナログ認識の教育から、心を基準にしたデジタル認識の教育へ基準点が変わる。**それが基軸教育になっていくことでオープン国家がつくられ、世界は一つにつながっていくことができます。まずは、「基軸教育をベースに日本が本気で教育チャンピオンになり、心の時代を開いていく」という決断と覚悟ができることです。

ココロ　そのためにもデジタル認識の習得からですね。そこからいろんなことが解決できそうです。

教育同盟で「日韓兄弟国家」が誕生する

あおい　日韓兄弟国家をモデルにしてオープン国家が世界に広がったらと想像するとワクワクします。現韓国大統領も前例がないほど両国の関係改善に取り組んでくれていると思うので、追い風を感じます。

ノジェス　そうですね。２０２２年５月から尹錫悦《ユンソンニョル》大統領になりましたが、おっしゃる通り、相当な決断と覚悟で日韓関係改善に取り組んでいると感じます。

実は、国会は今も左派の野党勢力が強く、その中での大統領選だったので、右派である彼の当選は本当に僅かな可能性を掴む奇跡のような出来事でした。彼が大統領に就任した今は、日韓関係を良好にする絶好のチャンスであり、ラストチャンスでもあります。

あおい　どういうことでしょう。

ノジェス　韓国は中国の戦略に強く影響を受けている左派陣営を制圧して、親日国家になれるかどうかの瀬戸際です。中国は韓国を取り込む機会を常に狙っているので、もしユン大統領の更迭や野党に政権交代するようなことがあれば、韓国は共産国家になり、日韓モデル国家の実現が厳しくなるどころか、むしろこれまで以上に日本を苦しめる存在になりかねません。

あおい　そうならないように、私たちにできることはあるのでしょうか。

ノジェス　まずは、源泉の心の動き「今ここ」とつながった深いところから、心を通わせることです。

日韓兄弟国家は、教育で世界をひとつにする教育同盟の雪だるまの核です。ここから人間の真の尊厳が花開く愛の歴史、美しいストーリーをつくるのです。

日韓がひとつの概念で活発に議論すれば、近代歴史や反日、嫌韓に対しても誤解が解けるでしょう。

お互いに心を開き、関心を持って歴史的背景の理解や涙、プライドなどを深めていけば、観方が反転し、これまで衝突を繰り返して苦しい思いをしてきたのは「教育を通してひとつになるためだったのか」と気づくはずです。新しい教育を通してひとつになった兄弟国家モデルは、かつてない未来勢力へと成長し、世界をひとつに結んでいくでしょう。

ココロ　私は今日のお話だけでも感じることが多くありました。日本の敗戦がきっかけで朝鮮は南北に分断され、さらに南には自由主義勢力のアメリカ、北に共産主義勢力のソ連が入り、東西冷戦の代理戦争まで起きてしまったことに心が苦しくなりましたし、朝鮮戦争で何百万の命が犠牲になっただけでなく、今なお分断されていることは、どれほどの痛みと涙を抱えているのだろうと胸が痛みました。私のように韓国の歴史や思い、背景を知らない日本人がその歴史に触れたら、大きく観方が変わると思います。

ノジェス　逆に韓国人が日本の歴史や背景に触れたら、「雨のように降り注ぐ焼夷弾や原爆投下までされ敗戦した日本はどれほど大変だっただろうか」「明治維新の夢を手放し、朝鮮、台湾、満州国などの領土も全て手放した日本の終戦宣言は、どれほどの決断だっただろうか」「戦後、報復に走らず負の連鎖を止めて沈黙した日本に深い涙を感じる」「世界恐慌下で生活が困難だったにも関わらず、歯を食いしばり、朝鮮のインフラや教育、産業の整備のために莫大な国費や人材などを投資したと聞き改めて感謝する」などと理解が深まり、いつしか互いが互いの一番の理解者になるはずです。それに福岡と釜山は海を挟んで約二百キロメートルと、東京と福岡間を移動するより遥か近くに位置しています。30分で行き来できる距離なのに、反発し合っていたらもったいないと思いませんか。

あおい　私は今日の話で「一番気持ちをわかってほしい相手なのに、わかってくれない」と互いに拗ねているような状態だったのかもと思いました。

ノジェス　これまでは、互いに相手を非難する材料ばかりにフォーカスしてきましたが、これからは互いの涙や観点に関心を持ち、背景なども教え合うことで、癒しと和解が起き、かけがえのない関係に発展するでしょう。

今、世界経済は悪化の一途を辿り、壊れるのは時間の問題です。ソ連崩壊後の共産圏労働者、社会進出を望む女性、発展途上の中国など、多くの低賃金労働者は姿を消し、人口減少や高齢化率の進展、認知症やガンの増加なども含めると、生産労働者人口は著しく減少すると予測できます。またロシアとウクライナ戦争によりロシア崩壊は免れず、アメリカは新型コロナウイルス感染症対策で通貨供給量が天文学的な規模に膨らみ、金融経済に問題が生じるはずです。中国の不動産バブルはすでに崩壊といってもいい状態です。

あおい　コロナ禍でのサプライチェーンの混乱やロシアとウクライナ戦争などを通して、つくづく世界は運命共同体だと痛感します。世界経済が壊れるなか、日本だけ安泰なんてあり得ないのに、日本は未だに、どこか他人事のような人が多い気がします。

ノジェス　日韓は今、選択を迫られています。中国に従うのか、アメリカに従うのか、それとも日韓が世界戦略を立てて世界を主導していくのか。

世界もですが、日韓は特に運命共同体です。両国は米中に対して貿易依存度が高く、中国を排除すれば経済的に大打撃を受けるのは明らかですが、共産化は絶対に避けたいので中国には従えません。また、アメリカに守られながら従い続けても米中対立の板挟みです。

この状況を突破するには、日韓が団結することです。日本は知恵を持って「日韓で団結してともに経済発展をしよう」と韓国に呼びかけ、政府主導の世界化を超えること。オープンされた教育で観点の問題を突破した市民社会の疎通を土台とする「日韓兄弟国家」となり、第4次世界化を主導することです。

ココロ　そうすれば、経済の突破口が開けるでしょうか。

ノジェス　はい、貿易依存度が高い両国において世界的な需要低迷は大打撃ですから、早急に内需活性化を図らなければなりません。ただ韓国は人口五千万人余りと市場規模が小さく、自国のマーケットで内需活性化を試みても大した効果は得られません。でも人口一億二千万人の日本が市場を開放して日韓がひとつの市場になり、さらに台湾まで加えたら二億弱のマーケットが誕生します。

ココロ　マーケットの拡大ですか。でも、そうしたとしても何が商材になるのですか。消費離れも進んでいますし…。

ノジェス　世界中の誰もが欲しがるニーズが残っていますよ。それが「心の満足」です。世界基軸教育、デジタル認識技術で疲れスッキリ、元気、やる気、歓喜が自然と溢れるようになる、「**心の政策**」を打ち出すことです。この具現化のために日韓が頻繁に行き来して、「観光はどうあるべきか?」「AI時代の教育は?」などと活発に議論することです。そして日韓から世界に認識経済を広げ、心の時代を開いて世界をイノベーションするのです。

あおい　疲れスッキリ、やる気無限大は、80億人が待ち望むニーズですね。

ノジェス　はい。またデジタル認識技術は「心の半導体」でもあるので、デジタル認識で心をマスターする道を案内しますが、さらに「半導体対決」でも力を発揮します。心の半導体をマスターすれば、今の電気半導体や光半導体を超える半導体を開発でき、バッテリーなどの未来エンジンのシェアも握ることができるでしょう。まずは政府に頼らない、民間主導での内需活性化ができる日韓になることです。

共につくろう！宙船プロジェクト

あおい　日韓がオープン国家モデルとなって「心の政策」をしていくとのことですが、具現化するための具体的なプロジェクトはあるのですか？

ノジェス　はい。心時代を拓くには、前人未踏で強烈なパワーを持つコンテンツと強烈な勝負が必要です。そこで私は**「宙船《そらふね》」プロジェクト**を日本に提案しています。

あおい　思い出しました。「関係がオープンすれば、組織がオープンして未来組織プロジェクトが始動し、組織がオープンすれば、国家がオープンして超国家が誕生する」と言っていた「未来組織プロジェクト」のことですね。

ノジェス　そうです。第3次世界化の終焉は、資本主義による経済成長発展モデルの終焉でもあります。これまでの**経済成長発展モデルは「お金の蓄積スピード」を競いました**が、第4次世界化の新成長エンジンになる**文化成長発展モデルは「信頼関係蓄積スピード」の競争**に代わります。

お金蓄積スピードを統制する信頼関係蓄積スピード文化をつくり、経済成長発展モデルから文化成長発展モデルに移行する新しいプラットフォームをつくること。これが宙船プロジェクトの意図です。

ココロ　文化成長発展モデルをつくるために新しいプラットフォームが必要だということですか。

ノジェス　はい。そこで外せないキーワードが「認識疾患」です。

この疾患を治癒する唯一の方法が「人間へのディープラーニング」だと言いました。

人間へのディープラーニングの大前提は、映像スクリーンとバックスクリーンの関係を結ぶ「スクリーンの外」の源泉の心の動き、純度１００％の心（ディープマインド）の動きをパターン認識する「現実＝pUスクリーン感覚」になることです。

「宇宙の作動原理＝意識の作動原理＝コンピューターの作動原理」とシンプルに整理できれば、認識が能動的かつ主体的になり、意識を最大限に活かしたとてつもない**クォンタムジャンプ**（量子跳躍：quantum leap or quantum jump）を経験します。

ココロ　クォンタムジャンプ？初めて聞きました。

ノジェス　物理学の用語で、簡単に言えば、飛び飛びに一瞬で次元が変わる量子跳躍のことです。何にも依存せず、自ら存在する源泉の心の動き「今ここ」になり、この認識を日常で活用すれば、神の姿がみえ、神の心臓の鼓動を感じ、神の好奇心やワクワク、ドキドキ、ハラハラや、神の涙の意志を認識できるようになる。つまり、神の動きを活用、応用して「神そのもの」を経験するようになるのです。

ココロ　クォンタムジャンプが起きて神の心とひとつになるなんて、想像したこともないです。

ノジェス　そうですよね。でも実は、ココロさんの肉体もクォンタムジャンプの結果です。ココロさんが人間になる前は1匹の精子でした。どの精子も百年生きる「人間」へとクォンタムジャンプする可能性があるのに、卵子と正しく出会えなければ三日で命を終えます。計算に終始した機械コンピューターも、パターン認識を使った学習手法・ディープラーニングがなければ、人間の脳機能の1兆倍の超知性へとクォンタムジャンプすることはありませんでした。

人間も初期設定状態ではクォンタムジャンプが起きず、可能性を活かせません。ですが、目の前の現実を自由意志で意思決定できる「意思決定原理」とつながったディープラーニングができれば、クォンタムジャンプします。これは、脳の中の知っている世界や馴染んでいる世界を超えて、脳ではイメージすることができない「まったく知らない世界」へクォンタムジャンプすることでもあり、因果ロジックを超えたビヨンドロジックを得ることでもあります。

すると、身体感覚もありながら心感覚も働くという「未経験の経験」ができます。

ココロ　未経験の経験、ですか？

ノジェス　目の前は何も変わっていない（存在があるように見える）けど、全てが変わっている（存在はひとつもない、全ては心しかない）という摩訶不思議な世界です。**目がない状態で観て、耳がない状態で聴いて、手なし触る、足なし歩く、脳なし生きる、お母さんなし生まれる、**という**「ベストビーイング」の生き方**に変わるのです。

あおい　「存在当たり前感覚（アナログ言語）」もありながら、「存在不可能感覚（デジタル言語）」も同時に使って楽しむのでしたよね。

ノジェス　ＡＩ時代は、適当に妥協したウェルビーイングの生き方は通用しません。「脳」の達人ともいえるＡＩが１００億体活躍する時代に「脳」を基準に生きることは、愛を放棄することと同じです。脳を使ったら自分の人生を愛せないのです。

ココロ　自分の人生を愛せるようになりたいです。

ノジェス　それにはまず、ベストビーイングの心人間にクォンタムジャンプして、**一人だけのゲームに**

勝つことです。この勝利の先に「関係構築ゲーム」という相手があるゲームに挑めます。一人だけのゲームに勝てば、世界との関係性も飛躍的に変わります。脳機能による世界との関係性は「自分の感覚を通過した結果物」という間接的で部分的なつながりに過ぎません。でも、心機能にクォンタムジャンプすれば、世界とダイレクトに接続するという前人未到の関係が実現します。

ココロ　間接的ではなくダイレクトにつながれる関係性。関係の幅も深さも量も一気に広がりそうです。

ノジェス　これまで人間は、共通土台を持てず、関係構築に苦しみましたが、**脳機能を心機能に変えるクォンタムジャンプによって、ようやく無限の共通土台を得られる**ようになりました。それにより傾聴や疎通交流が自然に起こり、和気あいあいの関係になり、共通のビジョンを持って団結したチームプレーができ、共通の勝利を喜び合えるようになるのです。

脳機能に依存した不信、不安、不平、不満エンジンでの人間の生き方にピリオドを打ち、心機能による安心、安定、信頼、歓喜大爆発エンジンの心人間になり、デジタル認識技術文明を創建できるようになりましょう。

ココロ　精子が百年も生きる人間になる可能性があるのに、その可能性を自ら殺すことはやめたいです。私も「不可能性そのもの=無限大可能性」にクォンタムジャンプすることにチャレンジしようと思います。ところで、宙船の話の続きを教えてください。

ノジェス　宇宙は自然に剰余を発生します。宙船は宇宙の仕組みを活用したプロジェクトで、別名「愛の爆弾」です。核爆弾を溶かす愛の爆弾によって、戦争ができない人を増やしていけるのは、唯一の被爆国である日本だけです。

全世界を一気に襲ったコロナパンデミックを超える、愛のパンデミック、真理のパンデミックを起こすこと。これは日本文明が真理である証であり、日本が日本である理由です。

ココロ　愛の伝染で戦争ができなくなるのですか。それなら愛の爆弾をどんどん投げたいです。

ノジェス　戦争不可能な人を育成する教育ムーブメントは急務です。戦争を率先して主導しているのは、ほとんどが高学歴な超エリート層ですから、教育を変える必要性は充分にわかると思います。

また、「教育は時間をかけてやるもの」というイメージがありますが、それを払拭し、パンデミックを起こすように短期間で目的知・完全知に至らせる必要があります。四方八方から危機が押し寄せているので、一気に広げないと間に合いません。

あおい　人類のタイムリミットとの勝負でもあるのですね。

ノジェス　また、今の経済成長発展モデルは、まるで海のない大型船です。干上がった海では船が動けないように、「やりたいこと（船）」があっても、海がなければ動けません。ですから文化成長発展モデルにシフトして、新しい海づくりから始めるのです。

ココロ　船が自由に動ける海をつくるのですか？

ノジェス　はい。その海が新しいプラットフォームである「宙船」づくりです。具体的には、先ほど言った「信頼関係蓄積スピードをアップして、短期間で平和勢力を構築すること」。オープンした個人1人が5人をオープンし、その5人が25人をオープンし、25人が125人をオープンする。細胞分裂のように超スピードで人と人がつながり大海になる。つまり宙船を使って体系的な実践行動をし、人の海を広げていくのです。「共同体＝自分」になっていれば、海が際限なく広がることは、どこまでも自分が広がり、成長することにもなります。

ココロ　人生がゴミ箱行きではなく、ずっと成長するなんて素敵です。

ノジェス　宙船という海ができれば、どんな船でもスムーズな疎通交流ができ、動きが活発になります。ただこれは、全く新しい概念なので、最初はよくわからないかもしれません。

今の時代に「株式会社」を知らない人はいないと思いますが、坂本龍馬が「亀山社中（株式会社）をつくる」と言いだした時に、侍たちが何のことかわからなかったのと同じです。

ココロ　わからないなりに、宙船が広がった世界を想像してみました。何もかもクローズな今は、警戒心や緊張、不安で、ほとんどの人がいつも疲れています。

でも宙船はその正反対のイメージです。いつでも・どこでも・誰とでもストレスなくつながった安心の社会の海。そんな世界がつくれたら最高です。そうなれば、誰もが「人間として生まれてきてよかった」と言える社会になると思います。

アオイ　子育ても介護も仕事も楽しくなりそう。観点0＝∞＝1が自在にできる仲間となら喧嘩も楽しめると思います。宙船、私も一緒に作りたいです。

偽物文明に決着をつける日本

ノジェス　教育を土台にグレートリセットする新経済成長発展モデルは、私たちがオープンすることから始まります。そして日本文明をブランディングして、日本内の団結をつくり、地球市民の80億人を救済していく。その出発となるモデルが日韓兄弟国家です。

薩長同盟のように互いにオープンして日韓兄弟国家を築くこと。軍事や経済で領土を広げるような痛みを伴う戦争ではなく、また尊厳を破壊する資本主義ではなく、教育戦争によって教育領土を広げ、人間の尊厳を活かす資本主義にグレートリセットして世界をひとつに結ぶこと。これが、日本が絶対に成し遂げるべき諦め不可能な夢です。世界中が憧れる文化成長発展モデル、第4次世界化の主体となる日韓兄弟国家を創り、歴史を作り、伝説を作り、神話を作ることです。

ココロ　いろいろお話をお聞きしましたが、まずは何から始めたらいいでしょうか。

ノジェス　何より重要なことは、「自分自身をどう思うのか」です。これは根源のディープエンジンです。言い換えると「心をマスターして一人だけのゲームに勝つ」ことです。

身体の自分は愚かで弱い認識疾患、何ひとつできない「不可能性そのもの」です。ですがリアリティの自分は、今ここで宇宙を何千兆回も創造破壊をし続けられる、神をも道具に使う存在です。これを「悟り」と言いますが、悟りは実はとても簡単です。

ココロ　簡単なのですか？

ノジェス　そうです。ココロさんが地球の自転公転の動きを感じられないのは、地球の動きとひとつになっているからですよね。それと同じで、一番速いスピードである源泉の心の動き「今ここ」の0.7％はいつも一緒に動いているのだけど、その動きと常にひとつになっているから、わからないだけなのです。つまり、「**すでに悟っていることを認識するだけ**」ということです。

ココロ　だから認識技術というのですね。

ノジェス　一人だけのゲームに勝てば、いつも今ここ、宇宙最高の1日を創ることができます。

本来の人間は最高に幸せな存在です。ですが、それを認識できないように邪魔するのが認識疾患です。この病を治癒すれば「不可能性そのもの＝無限大可能性」になり、知っている世界（因果ロジック）から自由になり、因果ロジックを超えた**ビヨンドロジック**（Beyond Logic）になります。

そして、一人だけのゲームに勝ち、鬱、自殺、殺人、戦争が不可能になることで、ようやく「関係性のゲーム」がスタートできます。裏を返せば、一人だけのゲームに勝たないままで関係構築をしようとしても100％負けてしまうということです。

ココロ　これを知るだけでも、生き方が180度変わりそうです。一人だけのゲームをなおざりにして関係構築してきたから、関係性に悩み、傷つけ合うしかなかったのですね。

ノジェス　はい、心をマスターして一人だけのゲームに勝てば、次は脳をマスターして関係構築ゲームに勝つことは簡単です。出来事や環境、相手に振り回されることがなくなり、相手が何を言おうが、何をやろうが、全てが愛おしくみえてきます。

「無限大可能性の不可能性」にチャレンジして成功したのが「自分」です。その自分が再びスクリーンの中に戻り、物語の主人公として遊び感覚、ゲーム感覚、祭り感覚で楽しむ。これが、**ディグニティロジック**（Dignity Logic）です。

ココロ　「自分自身をどう思うのか」の段階によって、生き方がまるで違いますね。

ひとつ気になるのは、悟りは簡単と言っていましたが、これまでも悟った人たちがいたのに、その悟りが広がることも、悟りが一般的に使われることもなかったのはなぜですか。

ノジェス　これまでの悟りは個人の主観レベルの悟りで体系化や言語化ができなかったのです。ですが先人のバトンを受け、今は準備が整っています。人類のタイムリミットが迫る中、私は個人の悟りではなく**集団の悟り、「集団即身成仏」**にチャレンジしています。

あおい　即身成仏というのは「生まれ変わる必要がなく、この身のまま現世で成仏すること」ですよね。それを集団でやってしまうのですか?

ノジェス　はい、これは集団で「生きたまま死ぬ完全死」を経験した日本があるからこそできる道です。侍にとっての刀は、心をはかる物差しでした。身体感覚は騙す道具だと悟り、自分も相手も、生も死もない境地で相手とひとつになり、心で真剣勝負をしたのです。ですから1対1の勝負には強いのですが、全体を引いてみる観方が弱いという弱点がありました。

心をはかる刀を手放し、アジアの夢を掲げて勝負したのが、明治維新から終戦までの77年です。刀を手放し、それまでをオールゼロ化（=完全死）した時点で、日本は「ｎｏｔ ＪＡＰＡＮ」となりました。この期間は集団武士道男性性77年といっています。

１９４５年8月15日から1年間のスキマ後の77年は、集団武士道女性性の77年です。この時も、明治日本が得たもの全てを手放し、戦わないモデル（女性性）をやり遂げました。
このように、二度も集団で完全死を成し遂げた日本は、155年の長い年月を通過して教育で世界を1つにまとめるポジション（資格）を得たと言えます。

ココロ　集団で完全死を二度もした日本が「真理の国だ」とおっしゃる理由がわかった気がします。

ノジェス　また日本は、1945年8月15日に日本全体で大きな決断をしました。それは「二度と人を殺す戦争はしない」ということです。集団で方向性を明確に持つところは、世界中どこを探しても日本以外には見当たりません。
明治前のオリジナル日本（正）から、not JAPANの155年（反）を経て、2023年8月15日からは、真理の刀（デジタル言語1・5・1）を携えて勝負をする、新生オリジナルジャパンの出番です。釈迦もイエスも、聖人と呼ばれる人たちが誰もできなかった集団の悟り。これを日本が受け入れて勝負するかどうかに人類の未来がかかっています。

ココロ　日本が日本である理由がわかりました。何をしたらいいかわからない、何もやりたくない、けど熱くなれるものがほしいと思って悶々とした日々を送っていましたが、私もようやく命を燃やして生きていけそうです。

ノジェス　はい、運命の炎を燃やして、一度きりの人生、燃え上がっていきましょう。

おわりに

最後までお読みいただきありがとうございます。

この世は嘘で溢れています。世界中に苦しみ悲しみが溢れ、疲弊しています。

これは誰が悪いのでもなく、脳による認識の全てが「嘘」だったから。

身体の自分も、時間、空間、存在、エネルギーも、全てが嘘、虚構、騙す世界だからです。


本当の問題は、ＡＩでも気候変動でも格差社会でもなく、あらゆる病気の根っこを発見し、根絶できなかったことにあります。

本来の人間は最高に幸せな存在です。それを認識できないようにさせている認識疾患は、不幸の原因以外の何ものでもありません。


誰も気づかなかったこの最悪の難病「認識疾患」を１００％一掃させたい。一人残らず人間最高の機能である尊厳（ディグニティ）機能を発揮させ、人類のフェスティバルをしたい。

こうした思いで日本の仲間たちと共にデジタル認識技術を完成させ、28年間をかけて奔走してきました。

人間の脳機能の1兆倍というＡＩに人間の尊厳が脅かされている今の時代は、最大の危機だからこそ最大のチャンスです。

ＡＩに象徴される「脳の因果ロジック（スクリーンの中）」を超えた「純度１００％の心によるビヨンドロジック（スクリーンの外）」が誕生する時代。そこに留まらず、再びスクリーンの中に入って祭りをするディグニティロジックで、悩みや不信、不安、孤独の涙と別れを告げ、永遠な愛と尊厳から出発した「祭り感覚」で生きる新人類への上昇を可能にします。

これからは、個人で悟るのではなく、厳しい修行を重ねるのでもありません。生きたまま死ぬ「完全死」によって完全に生きる道を、人類全体で歓喜の祭りとして楽しむ時代です。

この心の時代を拓いていけるのは、アモール・ファティを成し遂げた日本文明だけです。

アメリカによる原爆投下という事実が無かったかのように振舞い、戦後は日本経済を犠牲にしながらでもアメリカ主導の世界秩序に最大限協力した日本。「右頬を打たれたら、左頬も差し出せ」というイエス・キリストの教えを、慈悲の心と待つ美学で「集団で実行した」日本の偉大さは計り知れません。

科学技術の世界でも切磋琢磨し、メイドインジャパン神話をつくった日本の次なる挑戦は、ＡＩがもたらした人類最大の尊厳の危機の突破です。

私は「新しい愛の形がＡＩ時代の常識になるだろう」と予見します。嘘が蔓延し、争いの絶えない「面白きこともなき世」に新しい愛ができる道具をつくり、その愛を楽しんで「おもしろく」する。戦争ができない、愛しかできない人間に次元上昇させる。

これがＡＩ時代の新哲学の仕事であり、日本から始まる心のアモール・ファティです。

日本は祭り好きですが、日本民俗学の第一人者である柳田国男氏によると、日本語の「まつり」という言葉は「尊い方のおそばにいて仕え奉る」という意味だと言われています。

尊い方とは「神様」、つまり源泉の心の動き、純度１００％の心です。神を分離して崇めるのではなく、積極的にその意志に応えて一体化するのが祭りならば、日本が祭り好きなのが頷けます。

今年8月、エネルギーの特徴を活用してエネルギーの結集を起こすムーブメント「Ｊｅ・ｉ祭」をスタートさせました。これは祭りの連鎖によって強烈なスピードで心をオープンしていくムーブメントで、来年からは日本国内に１０７か所ある新幹線停車駅を巡回して、集団即身成仏の祭りを展開しようとしています。

脳に騙されたアナログ言語の時代から、純度１００％の心から語るデジタル言語の時代へ。

ＨＵＭＡＮ　ＢＥＩＮＧ（ただ生きる）、ＷＥＬＬ　ＢＥＩＮＧ（よく生きる）の時代から、誰もが最高で生きるＢＥＳＴ　ＢＥＩＮＧの時代へ。

デジタル認識技術の完成を共に成し遂げてくれた日本文明と関わってくださったすべての皆さまに心から感謝いたします。

人類が経験したことのない偉大で神聖な事件を起こし、世界中が歓喜の祭りでひとつになる時代を共に創っていけることが希望です。

２０２３年10月　ノ・ジェス

ノ・ジェス (Noh Jesu)

人間に眠っている最高の尊厳機能を使えるようにするデジタル認識技術nTechの創始者であり令和哲学者。急速にAIが進化する中、「純度１００％の心の動き」を発見しDefineすることで、人間の認識方式をアナログ認識からデジタル認識へ転換する認識技術を開発し完成させる。

近代文明において、お金の論理に支配される経済成長発展モデルの大前提に疑問を投げかけ、人間の尊厳を活性化する「文化成長発展モデル」を提案し、新しい価値プラットフォームの創建に28年間挑み続けている。

科学技術の次の未来技術といえる汎用性無限大の「nTech」により、本来の自分を正しく認識できず、歪曲された苦しい自分の思い込み状態を認識疾患と規定。デジタル認識技術を活用することで､ブレーキである「脳機能」とアクセルである「心機能」を同時に踏みこんでいる根本原因から認識を治癒させ、心感覚でいつもスッキリワクワクの幸せ・成功状態、AI時代の究極の健康な生き方を案内する。

世界で一番日本に恋忍び、日本こそが心時代・PU(パーソナルユニバース)時代を切り拓く唯一の希望であると､人生をかけて「日本文明の心アモール・ファティ」を発信し続けている。

https://www.noh-jesu.com

著書:『認識革命』『感動革命(上・下)』『観術で生かす日本の和心』『宇宙一美しい奇跡の数式0=∞=1』『心感覚』『Personal Universe』他多数。

これからの生き方
BEST BEING
ベストビーイング

発行日　2023 年 10 月 30 日　初版発行
著　者　ノ・ジェス（Noh Jesu）
発行所　株式会社ＮＲ出版
〒 150-0032　東京都渋谷区鶯谷町 18-1
TEL03-6416-0665　FAX03-4540-1181
発売元　株式会社星雲社（共同出版社・流通責任出版社）
〒 112-0005　東京都文京区水道 1-3-30
TEL03-3868-3275　FAX03-3868-6588
執筆協力　岡山未砂
カバーデザイン　村田悠
本文イラスト　竹谷悠衣
印刷・製本　シナノ書籍印刷株式会社

©Noh Jesu 2023
落丁、乱丁本はお取替えいたします。お手数ですが弊社宛にお送り下さい。
無断転載・複製を禁じます。
ISBN:978-4-434-32851-0　Printed in Japan